Teogonia

BIBLIOTECA PÓLEN

Para quem não quer confundir rigor com rigidez, é fértil considerar que a filosofia não é somente uma exclusividade desse competente e titulado técnico chamado filósofo. Nem sempre ela se apresentou em público revestida de trajes acadêmicos, cultivada em viveiros protetores contra o perigo da reflexão: a própria crítica da razão, de Kant, com todo o seu aparato tecnológico, visava, declaradamente, libertar os objetos da metafísica do "monopólio das Escolas".

O filosofar, desde a Antigüidade, tem acontecido na forma de fragmentos, poemas, diálogos, cartas, ensaios, confissões, meditações, paródias, peripatéticos passeios, acompanhados de infindável comentário, sempre recomeçado, e até os modelos mais clássicos de sistema (Espinosa com sua ética, Hegel com sua lógica, Fichte com sua doutrina-da-ciência) são atingidos nesse próprio estatuto sistemático pelo paradoxo constitutivo que os faz viver. Essa vitalidade da filosofia, em suas múltiplas formas, é denominador comum dos livros desta coleção, que não se pretende disciplinarmente filosófica, mas, justamente, portadora desses grãos de antidogmatismo que impedem o pensamento de enclausurar-se: um convite à liberdade e à alegria da reflexão.

Rubens Rodrigues Torres Filho

Hesíodo

TEOGONIA

A ORIGEM DOS DEUSES

edição revisada e acrescida do original grego

Estudo e tradução
Jaa Torrano

ILUMI//URAS

Biblioteca Pólen
dirigida por Rubens Rodrigues Torres Filho e Márcio Suzuki

Título original
Theogonía

Copyright © 1991 da tradução
Jaa Torrano

Copyright © desta edição
Editora Iluminuras Ltda.

Projeto gráfico da coleção e capa
Fê
Estúdio A Garatuja Amarela
sobre estátua de Afrodite (c. 150 a.C.), mármore [2,04 ml.] Louvre, Paris.

Revisão
Jaa Torrano e Ariadne Escobar Branco

DADOS INTERNACIONAIS DE CATALOGAÇÃO NA PUBLICAÇÃO (CIP)
(Câmara Brasileira do Livro, SP, Brasil)

Hesíodo
    Teogonia : a origem dos deuses / Hesíodo ; estudo e tradução Jaa Torrano. São Paulo :
Iluminuras, 1991. — 2. edição, 1991 – 6. reimpressão. 2015. — (Biblioteca Pólen / dirigida por
Rubens Rodrigues Torres Filho)

Título original : Teogonia : a origem dos deuses

    "Ed. rev. e acrescida do original grego."
    Bibliografia
    ISBN 85-85219-31-9

1. Hesíodo. Teogonia 2. Poesia grega – História e crítica
I. Torrano, Jaa. II. Torres Filho, Rubens III. Título IV. Série

06-5848   CDD-881

Índices para catálogo sistemático

1. Poesia grega clássica   881

ILUMI//URAS
desde 1987

Rua Salvador Corrêa, 119, Aclimação
04109-070 | São Paulo/SP | Brasil
Telefone: 55 11 3031-6161
iluminuras@iluminuras.com.br
www.iluminuras.com.br

SUMÁRIO

Dedicatória 9

O MUNDO COMO FUNÇÃO DE MUSAS

I. Discurso sobre uma Canção Numinosa 13
II. Ouvir Ver Viver a Canção 15
III. Musas e Ser 21
IV. Musas e Poder 29
V. A Quádrupla Origem da Totalidade 38
VI. Três fases e três linhagens 47
VII. Memória e *Moîra* 66
VIII. A temporalidade da Presença Absoluta 79
IX. A presença do Nume-Nome 89
Epílogo 95

TEOGONIA — A ORIGEM DOS DEUSES

Nota Editorial 101
ΘΕΟΓΟΝΙΑ 102
TEOGONIA 103
[*Proêmio: hino às Musas*] 103
[*Os Deuses primordiais*] 109
[*História do Céu e de Crono*] 111
[*Os filhos da Noite*] 113
[*A linhagem do Mar*] 115
[*A linhagem do Céu*] 121
[*Hino a Hécate*] 123
[*O nascimento de Zeus*] 127
[*História de Prometeu*] 129
[*A Titanomaquia*] 135
[*Descrição do Tártaro*] 141
[*A luta contra Tifeu*] 147
[*Os Deuses Olímpios*] 149

BIBLIOGRAFIA 158

*Somente há chave que dê o sentido do símbolo
para quem compreende a simbólica mítica.
Somente há via que conduza ao sentido sagrado
do símbolo para quem vive a simbólica iniciática.*

BERTEAUX, Raoul. *La Voie symbolique.*
Paris: Lauzeray, 1978, p. 61.

DEDICATÓRIA

Quando Heráclito viu perfeito o seu livrinho, depositou-o no templo de Ártemis Senhora das Feras, a Deusa de muitos úberes. Agora que vejo concluído o meu, a Deusa não tem mais templos, nem as feras têm Senhora, nem as feras são mais ferozes, ainda que sejam piores: contagiosas, poluentes.

Como Heráclito pôs em seu livrinho os aforismas de sua Sabedoria Arcaica, tentei pôr neste meu as dicas das visões que vi e da Senda que tenho trilhado e pela qual penso alcançar o télos de meu Destino.

Outros já passaram por esta Senda; por isso a novidade de tudo o que eu digo de novo está na força da repetição. A força do Sábio está em saber dizer o já dito com o mesmo vigor com que foi dito pela primeira vez.

Evocada ou não, contemplada ou sem templo, a Deusa Mãe está presente e nos nutre. As feras, ainda que tenham perdido a inocência e a natural crueldade, são sempre as suas crias.

Tão perverso como as ex-feras minhas contemporâneas, de cujo convívio não poderei me apartar senão quando me sentir próximo do fim de meus dias, vivo nos últimos anos desta Idade de Ferro preditos por Hesíodo – e confio este meu livrinho aos que tiverem prazer em falar e ouvir falar dos Deuses sempre vivos, e aos que com Eles vivem.

O MUNDO COMO FUNÇÃO DE MUSAS

Jaa Torrano

I. DISCURSO SOBRE UMA CANÇÃO NUMINOSA

O que se lerá neste livro é um discurso sobre o nefando e sobre o inefável, i.e., um discurso sobre a experiência do Sagrado, um discurso sobre o que não deve e não pode ser dito, quer por ser motivo do mais desgraçoso horror (o Nefando), quer por ser motivo e objeto da mais sublime vivência (o Inefável).

Portanto, o trabalho aqui apresentado (con)centra-se num problema metodológico insolúvel, já que este trabalho se propõe a executar o inexeqüível, ou seja: se propõe como um discurso sobre a experiência do Sagrado. Se essa experiência for apreendida e compreendida (talvez fosse mais adequado dizer não com-*preendida*, mas con-*vivida*) em seu mais próprio sentido e vigor, — então este discurso que se propõe apresentá-la deve necessariamente *frustrar-se enquanto discurso.*

Um discurso que se propõe dizer com rigor a essência do que em seu vigor é indizível (nefando e/ou inefável) não pode cumprir-se a rigor. Se ele se fizer como um discurso rigoroso, ele deverá para isso falsificar a apresentação de seu objeto e, portanto, ele deverá, para ser rigoroso, ser também falso.

Este discurso, portanto, mais do que se resignar a seu próprio fracasso — já que tem por escopo realizar a impossibilidade enquanto ela vigora como impossibilidade — *deverá programar o seu próprio fracasso* e deverá, na avaliação que fizer de sua própria eficiência e efetividade, estar atento a que só pode computar como êxito e consecução do objeto perseguido os seus momentos de fracasso, momentos nos quais não atingiu o objeto ao qual perseguia.

Mas o Sagrado (ou melhor: o Numinoso), sobre o qual este trabalho propõe-se constituir um discurso, é uma qualificação especial a que podem servir de suporte determinados objetos. Se esta qualificação especial constituída pelo *Numinoso* é que é indizível (e, por conseqüência, a especial qualidade da experiência humana desta qualificação constituída pelo Numinoso), — não é absolutamente indizível o objeto que suporta a qualificação de *numinoso*; esse objeto pode ser dito, descrito e definido. — Por conseguinte, além de se propor a consecução do que não se deve (porque não se pode) conseguir (i.e., dizer o indizível), este trabalho se propõe apresentar, por meio de uma descrição, determinados objetos enquanto suportes desta inexprimível qualificação que é o numinoso.

Assim, este trabalho se propõe descrever a linguagem enquanto objeto de uma experiência numinosa arcaica. Esta experiência da linguagem está profunda e inextricavelmente ligada a uma certa concepção arcaica da linguagem, a uma certa concepção arcaica de tempo, a uma certa concepção arcaica de Ser e de Verdade.

O objetivo a que se programa este trabalho é, além de seu próprio fracasso (entendido como a mais adequada medida para o seu êxito), descrever como foi *vivida* e apresentada na *Teogonia* hesiódica a complexão das concepções arcaicas de linguagem, de tempo, de Ser e de Verdade.

A linguagem é, neste caso, a linguagem do aedo, i.e., a canção — uma canção que ao mesmo tempo é veículo de uma concepção do mundo e suporte de uma experiência numinosa.

II. OUVIR VER VIVER A CANÇÃO

A poesia de Hesíodo é arcaica e, a meu ver, só podemos apreciá-la em sua plenitude e vigor se estivermos atentos ao sentido em que ela o é e às suas implicações. Na afirmação segundo a qual a poesia de Hesíodo é arcaica, devemos levar em conta o sentido historiográfico da palavra *arcaico* ("Época Arcaica"), o sentido que aponta a anterioridade e a antiguidade (uma canção composta quando o pensamento racional começava a *pré*-figurar-se), e ainda um sentido etimológico, que envolve a idéia de *arkhé*, de um princípio inaugural, constitutivo e dirigente de toda a experiência da palavra poética. Se meditarmos nessas três direções implicadas no *arcaico* do poema hesiódico, talvez nos aproximemos com maior clareza das condições em que esta poesia se deu pela primeira vez aos homens e possamos compreender a função, natureza e sentido com que então ela se fazia presente.

Os estudiosos designaram *Arcaica* a Época em cujos umbrais Hesíodo viveu e compôs seus cantos. Na Grécia, os séculos VIII-VII a.C. testemunharam a germinação ou transplante de instituições sociais e culturais cujo florescimento ulterior transmutaria revolucionariamente as condições, fundamentos e pontos de referência da existência humana: a *pólis*, o alfabeto e a moeda. No entanto, a poesia de Hesíodo é anterior ao florescimento dessas três invenções catastróficas e, ainda que já tenha sido escrita ao ser composta, toda ela se orienta e vigora dentro das dimensões anteriores às condições paulatinamente trazidas por essas três. A *pólis* e a moeda estão ausentes ou só pressentidas no poema a que, por sua envergadura social, agrícola e mercantil, mais elas interessariam: *Os trabalhos e os dias*. E o uso do alfabeto e suas conseqüências (cujo caráter deletério para a Memória Sócrates acusa no *Fedro*) estão ausentes e afastados da concepção de poesia que é exposta na *Teogonia* (no hino às Musas, vv. 1-115) e que subjacentemente fundamenta tanto a elaboração como a devida fruição do poema.

A marca da oralidade não está somente nas características exteriores e formais da *Teogonia*, a saber:

1) nas fórmulas e frases pré-fabricadas que, combinando-se como mosaicos, vão compondo os versos em seqüências salpicadas por palavras e expressões inevitavelmente retornantes;

2) na justaposição com que as seqüências narrativas se associam sem que nenhuma delas se centralize articulando em torno de si as outras, mas antes tendo cada seqüência narrativa um igual valor na sintaxe da narração total e podendo portanto sempre e ao arbítrio do poeta articular-se a um número quase indefinido de novas seqüências;

3) nos catálogos (listas de nomes próprios) que se oferecem como um espetacular jogo mnemônico, que só a habilidade do poeta redime do gratuito e lhe confere uma função motivada e significativa dentro do contexto do poema.

A marca da oralidade está também na própria concepção de linguagem poética que Hesíodo tem e expõe nos prologais 115 versos do hino às Musas, e sobretudo no uso que ele faz desta linguagem e na plena certeza que ele tem do poder de presentificação de seu canto.

Nesta comunidade agrícola e pastoril anterior à constituição da *pólis* e à adoção do alfabeto, o aedo (i.e., o poeta-cantor) representa o máximo poder da tecnologia de comunicação. Toda a visão de mundo e consciência de sua própria história (sagrada e/ou exemplar) é, para este grupo social, conservada e transmitida pelo canto do poeta. É através da audição deste canto que o homem comum podia romper os restritos limites de suas possibilidades físicas de movimento e visão, transcender suas fronteiras geográficas e temporais, que de outro modo permaneceriam infranqueáveis, e entrar em contato e contemplar figuras, fatos e mundos que pelo poder do canto se tornam audíveis, visíveis e presentes. O poeta, portanto, tem na palavra cantada o poder de ultrapassar e superar todos os bloqueios e distâncias espaciais e temporais, um poder que só lhe é conferido pela Memória (*Mnemosyne*) através das palavras cantadas (Musas). Fecundada por Zeus Pai, que no panteão hesiódico encarna a Justiça e a Soberania supremas, a Memória gera e dá à luz as Palavras Cantadas, que na língua de Hesíodo se dizem Musas. Portanto, o canto (as Musas) é nascido da Memória (num sentido psicológico, inclusive) e do mais alto exercício do Poder (num sentido político, inclusive). O aedo (Hesíodo) se põe ao lado e por vezes acima dos *basileîs* (reis), nobres locais que detinham o poder de conservar e interpretar as fórmulas pré-jurídicas não-escritas e administrar a justiça entre querelantes e que encarnavam a autoridade mais alta entre os homens. Esta extrema importância que se confere ao poeta e à poesia repousa em parte no fato de o poeta ser, dentro das perspectivas de uma cultura oral, um cultor da Memória (no sentido religioso e no da eficiência prática), e em parte no imenso poder que os povos ágrafos sentem na força da palavra e que a adoção do alfabeto solapou até quase destruir. Este poder da força da palavra se instaura por uma relação quase mágica entre o nome e a coisa nomeada, pela qual o nome traz consigo, uma vez pronunciado, a presença da própria coisa. Nascida antes que o veneno do alfabeto entorpecesse a Memória, a poesia de Hesíodo é também anterior à elaboração da prosa em seus vários registros e à diversificação da experiência poética em seus característicos gêneros. O aedo canta sem que ao exercício de seu canto se contraponha outra modalidade artística do uso da palavra. Seus versos hexâmetros nascem num fluxo contínuo, como a única forma própria para a palavra mostrar-se em toda a sua plenitude e força ontofânicas, como a mais alta revelação da vida, dos Deuses, do mundo e dos seres. De nenhum outro modo a palavra libera toda a sua força, nenhuma outra forma poética se põe como alternativa à em que o canto se configura.

Só quase um século depois de Hesíodo surge, com Arquíloco de Paros, a poesia lírica que, tematizando o aqui e agora, os sentimentos, atitudes e valores individuais do poeta, constitui-se com os seus metros vários um novo gênero, uma nova gênese, uma nova forma de manifestação da palavra, nascida e própria das novas condições trazidas pela *pólis*, pela reforma hoplítica, pelo uso do alfabeto. Ao mesmo tempo e solidariamente ao nascimento da lírica, os primeiros pensadores jônicos e os logógrafos (autores de registros de fundações de cidades-colônias e de genealogias da nobreza) começam a elaboração da prosa; a língua grega começa a adquirir palavras abstratas (sobretudo pela substantivação de adjetivos no neutro singular); e o pensamento racional começa a abrir novas perspectivas a partir das quais imporá novas exigências. Com os pensadores a linguagem põe-se a caminho de tornar-se abstrato-conceitual, racional, hipotática e desencarnada (na perfeição do processo, o nome se torna um signo convencionado para a coisa nomeada, cf. *Crátilo* de Platão). Com os poetas líricos a linguagem perscruta a realidade do indivíduo humano, examina seus sentimentos, valores e motivações, até começar a transmutá-los e transportá-los, de forças divinas e cósmicas que eram (*v.g. Éros, Éris, Aidós, Apáte, Áte, Lyssa*, etc.) para um interiorizado *páthos* humano (amor, rivalidade, pudor, engano, loucura, furor, etc.).

Poetas líricos e pensadores colaboram inicialmente (séculos VII e VI) na grande tarefa de elaborar uma linguagem abstrato-conceitual e apta como instrumento de análise tanto do cosmos como da realidade humana; e em verdade nos pródomos deste processo multi-secular de transformação da linguagem em instrumento está Hesíodo. A tentativa globalizadora de sinopse dos mitos com a qual a *Teogonia* se esforça por organizá-los em torno da figura e da soberania de Zeus é de fato o primeiro (ou um dos primeiros) alvor da atividade unificante, totalizante e subordinante do pensamento racional. Perseguir a totalidade unificada, o Todo-Uno (*Pân Hén*), é a aspiração extrema do pensamento racional e da prosa, que um ao outro se elaboram e se trabalham, a partir das novas condições oferecidas pelo alfabeto para se aprisionar as palavras pela arte da escrita, despojá-las paulatinamente de seu poder encantatório e de sua magia musical e imagética, despojá-las do domínio que exercem numinosamente sobre o homem e domesticá-las no cativeiro da escritura e torná-las instrumento seco, fixo e preciso. Em Hesíodo as palavras são forças divinas, Deusas nascidas de Zeus e Memória (as Musas), mas Hesíodo já ouve o apelo do Todo-Uno e é claramente perceptível na *Teogonia* a tendência de toda a polimorfa realidade e os múltiplos âmbitos do Divino convergirem subordinados à realeza de Zeus Pai dos homens e dos Deuses. A luta de Zeus pelo poder e a manutenção do poder por Zeus é *à uma* o ápice e o centro da visão do mundo apresentada na *Teogonia*; — isso e ainda ser a *Teogonia* uma sinopse não só de mitos de diversas procedências mas uma sin-opse do próprio processo cosmogônico e mundificante mostram que neste canto arcaico pulsa já o primeiro impulso do pensamento racional.

Em *Os trabalhos e os dias* Hesíodo tematiza o seu aqui e agora — o que é a radical descoberta e invenção dos líricos gregos. E se por um lado, como vimos, a *Teogonia* se liga a uma ulterior corrente da Época Arcaica, a do pensamento com o qual a Razão se manifestou através da elaboração do discurso em prosa, — por outro lado também se liga a certas práticas inauguradas pela poesia lírica: Hesíodo se nomeia a si mesmo no seu canto sobre o nascimento dos Deuses (v. 22) e dá, nos seus dois principais poemas supérstites, a respeito de sua própria vida todas as notícias de que hoje dispomos sobre ela com maior segurança (*Trabalhos*, vv. 27-41, 631-40, 650-62; *Teogonia*, 23-34).

Assim é arcaica a poesia hesiódica: ligada formalmente à épica homérica (hexâmetros, estilo próprio à composição oral), ligada prenuncial e prefiguradoramente às duas mais importantes correntes culturais ulteriores a ela (a dos pensadores e a da poesia lírica), expondo uma concepção caracteristicamente ágrafo-oral de poesia e expondo-se rigorosamente segundo essa concepção. (Analisaremos adiante mais ampla e pormenorizadamente que concepção é esta e como o é.)

No que concerne ao sentido historiográfico ("Época Arcaica") e ao sentido usual (antigo, anterior) deste adjetivo *arcaico*, a poesia hesiódica pertence a uma outra época por tudo diversa e distante da nossa e de nossos hábitos, pertence a um outro mundo mental, para nós sem interesse porque com nenhum ou só escassos pontos de contato com o nosso próprio mundo mental. E se fosse apenas pelos dois primeiros sentidos do *arcaico*, a leitura da *Teogonia* seria deveras estudiosa e trabalhosa, do interesse e competência apenas da pesquisa erudita e acadêmica. Mas não é nada disso, porque não é só arcaica nesses dois sentidos. A leitura da *Teogonia* ultrapassa e extrapola o interesse da mera erudição acadêmica, porque o mundo que este poema arcaico põe à luz, e no qual ele próprio vive, está vivo de um modo permanente e — enquanto formos homens — imortal. Um mundo mágico, mítico, arquetípico e divino, que beira o Espanto e o Horror, que permite a experiência do Sublime e do Terrível, e ao qual o nosso próprio mundo mental e a nossa própria vida estão umbilicalmente ligados. Porque também num sentido etimológico a poesia hesiódica é arcaica.

Durante milênios, anteriores à adoção e difusão da escrita, a poesia foi oral e foi o centro e o eixo da vida espiritual dos povos, da gente que — reunida em torno do poeta numa cerimônia ao mesmo tempo religiosa, festiva e mágica — a ouvia. Então, a palavra tinha o poder de tornar presentes os fatos passados e os fatos futuros (*Teogonia*, vv. 32 e 38), de restaurar e renovar a vida (*idem*, vv. 98-103).

Mas sobretudo a palavra cantada tinha o poder de fazer o mundo e o tempo retornarem à sua matriz original e ressurgirem com o vigor, perfeição e opulência de vida com que vieram à luz pela primeira vez. A recitação de cantos cosmogônicos tinha o poder de pôr os doentes que os ouvissem em contato com as fontes originárias da Vida e restabelecer-lhes a saúde, tal o poder e impacto que a força da palavra tinha sobre seus ouvintes. — Na solidária colaboração dos homens com a Divindade, o rei-cantor na antiga Babilônia devia entoar, nas festas de Ano Novo, o poema narrativo de como a ordem cósmica divina e humana surgiu prevalecendo sobre as anteriores trevas amorfas, e por meio desta declamação do canto prover que o novo círculo do Ano, o novo ciclo do Mundo, tendo retornado a suas fontes originais, se refizessem de novo no Novo Ano. — Este poder ontopoético que a palavra cantada teve multimilenarmente nas culturas orais se faz presente na poesia de Hesíodo como um poder ontofânico. O mundo, os seres, os Deuses (tudo são Deuses) e a vida aos homens surgem no canto das Musas no Olimpo, canto divino que coincide com o próprio canto do pastor Hesíodo, a mostrar como surgiu e a fazer surgir o mundo, os seres, os Deuses e a vida aos homens. Este poder ontofânico da palavra perdura ainda hoje em nossa experiência poética e em nossa experiência bem mais vulgar de temor a certas palavras aziagas. Desde sempre e ainda hoje — e creio que assim será sempre — o maior encanto da poesia reside no seu poder de instaurar uma realidade própria a ela, de iluminar um mundo que sem ela não existiria. Para Hesíodo, este mundo instaurado pela poesia é o próprio mundo; — por isso certos Deuses monstruosos e terríveis não devem ser nomeados, são não-nomeáveis (*ouk onomastoí, Teog.* v. 148), é o domínio do nefando, o que não deve ser dito (*oú ti phateión, idem* v. 310). Em Hesíodo as palavras cantadas não são uma constelação de signos abstratos e vazios, mas forças divinas nascidas de Zeus Pai e da Memória, que sabiamente fazem o mundo, os Deuses e os fatos esplenderem na luz da Presença, e implantam, na vida dos homens, um sentido que, com o vigor do eterno, centra-a e ultrapassa-a.

Neste sentido de que nela está total e vigorosamente encarnado o que é a maior força de encantamento da poesia ainda hoje e multimilenarmente, a poesia hesiódica é *arcaica*, — porque nela mais plena e claramente se manifesta a *arkhé* da poesia: o seu poder ontofânico.

III. MUSAS E SER

A primeira palavra que se pronuncia neste canto sobre o nascimento dos Deuses e do mundo *é Musas,* no genitivo plural. Por que esta palavra e não outra? Dentro da perspectiva da experiência arcaica da linguagem, por outra palavra qualquer o canto não poderia começar, não poderia se fazer canto, ter a força de trazer consigo os seres e os âmbitos em que são. É preciso que primeiro o nome das Musas se pronuncie e as Musas se apresentem como a numinosa força que são das palavras cantadas, para que o canto se dê em seu encanto. Pois dentro desta perspectiva arcaica, o nome das Musas são as Musas e as Musas são o Canto em seu encanto. O nome das Musas é o próprio ser das Musas, porque as Musas se pronunciam quando o nome delas se apresenta em seu ser, porque quando as Musas se apresentam em seu ser, o ser-nome delas se pronuncia.

Elas são o princípio do canto, tanto no sentido inaugural como no dirigente-constitutivo (*da arkhé*). A exortação "pelas Musas comecemos a cantar" diz também que tenhamos nelas o princípio por que nos deixar guiar e exprime ainda a vontade de que seja pela força delas que se cante. Não é nem a voz nem a habilidade humana do cantor que imprimirá sentido e força, direção e presença ao canto, mas é a própria força e presença das Musas que gera e dirige o nosso canto[1]. — Assim o canto irrompe e se manifesta, a partir do nome que o nomeia em sua força numinosa, e os versos que seguem ao verso inicial são desdobramentos e explicitações do que neste nome (*Mousáon* = Pelas Musas) se diz no início e como o Princípio: o pronome *Elas* (vv. 2 e 22), a indicar sempre este nome-ser do Canto, retoma-o como sujeito das cláusulas descritivas e narrativas

---

1) O genitivo-ablativo *Mousáon* ("Pelas Musas") e o subjuntivo médio-passivo *arkhómetha* ("comecemos"/"sejamos dirigidos") têm um nuanceamento semântico maior do que o podem suportar as palavras portuguesas de nossa tradução e mesmo maior do que o podem suspeitar os nossos hábitos lógico-analíticos. A distinção entre o sentido próprio à voz média ("comecemos") e o próprio à passiva ("sejamos dirigidos") aqui neste verso principial é muito menor do que o nosso rigor analítico apreciaria ver; a noção de *arkhé* contida no verbo *arkhómetha* reúne numa unidade indiscernível o sentido de princípio-começo e o de princípio-poder-império.

das atividades habituais deste Canto (i.e., das Musas) que pelo nome numinoso se evoca e se faz presente. "Elas têm grande e divino o monte Hélicon." O verbo grego *ékhousin* ("têm") conserva a dupla acepção de ter-ocupar-habitar e a de ter-manter-suster[2]. Como as Deusas o têm por habitação, elas o mantêm na grandeza e sacralidade em que ele se mostra. É pela presença delas que ele, o Hélicon, se dá em sua presença imponente e sagrada. Mantendo o Hélicon como sua habitação, elas o mantêm como uma hierofania — como mantêm no encanto do canto o poder de presentificar o que sem elas é ausente.

Presentes, as Musas são um poder de presença e de presentificação. Isto é o que se vai mostrando em inúmeros momentos e de vários modos neste hino que abre a *Teogonia* e neste canto teogônico assim aberto.

A dança em volta da fonte (vv. 3-4) é uma prática de magia simpatética com que o pensamento mítico analógico crê garantir a perenidade do fluxo da fonte. O círculo ininterrupto, que a dança constitui, comunicaria por contágio o seu caráter de renovação constante e de inesgotável infinitude ao fluxo da água, preservando-o e fortalecendo-o. Nestes dois versos justapostos (3-4), as Musas dançam em torno da fonte violácea e do altar do fortíssimo Zeus. Como centros criados pela circunferência da dança, a fonte e o altar se equivalem. E todo o contexto deste Proêmio mostrará que, como a fonte é fortalecida e mantida pela dança, o altar do bem forte filho de Crono (i.e., a presença da própria força de Zeus) é mantido pelo canto e dança das Musas. O fluxo recebe da dança a sua força, e o altar de Zeus, força suprema, também a recebe da voz e da dança das Musas. Um verbo como *mélpomai* (= "cantar-dançar"), donde o nome *Melpoméne* para uma delas, indica o quanto eram sentidos pelos gregos antigos como uma unidade os atos de cantar e dançar, a voz e o gesto. — Voz e gestos que, executados pelas Musas, tornam aqui presente a Força de Zeus entre os homens.

A seqüência dos versos 5-21 descreve as Deusas ambiguamente com os hábitos das mortais gregas e à uma como potestades ontofânicas que são. Banham-se antes de formarem os coros, como as gregas cuidadosas de se mostrarem mais belas no espetáculo; banham-se nos córregos e fontes e dançam sobre os cimos das montanhas, como se ninfas desses lugares. Mas elas são sobretudo

---

2) Não nos esqueçamos de que *habitare* ("habitar") é um freqüentativo de *habere* ("ter"), que também conserva em latim essa dupla acepção.

a *belíssima voz* que brilha no negror da noite (do Não-Ser). "Ocultas por muita névoa" é fórmula épica para indicar a invisibilidade: as Musas, invisíveis, manifestam-se unicamente como o canto e o som de dança a esplender dentro da noite. A procissão noturna, invisível, de cantoras-dançarinas faz surgir por suas vozes os Deuses da "atual" fase cósmica e os das duas "anteriores", como se neste catálogo (vv. 11-21) se desse uma teogonia "ascendente"[3], a remontar dos Deuses "atuais", Zeus, Hera, Apolo, às Divindades de gerações "anteriores", até as forças originárias donde tudo saiu à luz: "a Terra, o grande Oceano, a Noite negra". A irrupção da voz, impondo-se à Noite negra, traz consigo os Deuses senhores de cada fase cósmica, a ordem cósmica que estes Deuses determinam e em si mesmos são, e traz ainda consigo a própria noite circundante dentro de que as Musas surgem como belíssima voz e fazem surgir múltiplo o cosmo divino. Fecham este catálogo a Noite negra (expressão do Não-Ser, filha do *Kháos*, a noite circunstante e a solitária geradora de todas as forças que marcam pela privação e não-ser a vida do homem) e a referência à sagrada geração (= ser) dos outros imortais sempre vivos. Assim, enantiologicamente, as potências ontofânicas (Musas) situam-se no meio da potência do não-ser e da privação (Noite) e mais: trazem junto à sua plenitude configuradora da Ordem e da Vida esta Força originária da Negação.

A manifestação das Musas não é apenas um esplendor e diacosmese que se opõem ao reino das trevas e da carência, mas sobretudo tem no antinômico reino da Noite o seu fundamento e, ao esplender em seu fundamento, dá a este mesmo reino antinômico a sua fundamentação. Nesta sabedoria arcaica, que encontrou em Heráclito a sua expressão mais clara (e mais obscura), cada contrário, ao surgir à luz da existência, traz também, por determinação de sua própria essência, o seu contrário. Na oposição em que se opõem, os opostos vigoram no mesmo vigor em que um contra o outro os opõe a unidade que na essência deles os reúne a um e outro. Assim a epifania diacosmética das Musas (filhas de Zeus Olímpio e da Memória) se dá nas trevas me-ônticas da Noite (geradora do sono, da morte, dos massacres e do esquecimento) e, ao nomear as gerações (= os seres) divinas fazendo-as presentes por força da belíssima voz, nomeia também a Noite, dando-lhe por fundamento o ser-nome.

---

3) Cf. Méautis, George. "Le prologue a la Théogonie d'Hésiode". *In*: *Revue des Études Grecques*, L II, 1939, pp. 573-83.

Esta tensão enantiológica aduzida pela visão aguda da unidade dos opostos penetra e perpassa toda a *Teogonia* — e todo o Mito e Religião gregos.

Na primeira epifania das Musas a Hesíodo, quando estas lhe outorgam com o cetro o dom do canto, outras oposições e identidades (ou, talvez, melhor: mesmitudes) são postas em relevo pelas palavras mesmas das Musas. Primeiro, as Deusas reveladoras de todos os seres e de todos os acontecimentos se contrapõem, enquanto plenitude de vida e de visão, à vida meramente gástrica de pastores cegos, sendo o que ultrapassa as suas possibilidades corpóreas; a estes pastores elas se revelam: "ó pastores agrestes, vis infâmias e ventres só" (v. 26). Esta epifania numinosa é uma consagração: inspiram ao pastor Hesíodo o canto que elas próprias cantam e o poder de torná-las presentes pelo canto ("e a elas primeiro e por último sempre cantar", v. 34). Depois desta epifania, o pastor agreste encarna, de certa forma e parcialmente, o Poder numinoso das Musas, — o qual é, em qualquer de seus aspectos e partes, sempre o Poder numinoso das Musas.

As Deusas sublinham ainda a ambigüidade do Poder que são elas. A força de presentificação e descobrimento que põe os seres e fatos à luz da Presença é a mesma força de ocultação e encobrimento que os subtrai à luz e lhes impõe a ausência:

"sabemos muitas mentiras dizer símeis aos fatos
"e sabemos, se queremos, dar a ouvir revelações".
(vv. 27-28)

Dizer mentiras símeis aos fatos é furtá-los à luz da Presença, encobri-los. As mentiras são símeis aos fatos enquanto só os tornam manifestos como manifestação do que os encobre. As mentiras são *símeis* (= *homoia*) aos fatos enquanto se dissimula a unidade que, por estar na raiz da similitude, une simultaneamente em um só lugar o símil e o ser-mesmo. *Símil* (lat. *similis*) e o grego *homoia* têm a mesma raiz etimológica, que indica como idéia fundamental da similitude a unidade[4]. Por meio também desta raiz podemos apreender e pensar a similitude que une as mentiras e os fatos, unidade-similitude em que a mentira e o ser-mesmo se dão como símeis. Ao dar-se como símil, o ser-mesmo se dissimula pela simulação desta similitude que,

---

4) Boisaq, Émile. *Dictionnaire étymologique de la Langue Grecque*. 2. ed. Heidelberg/ Paris: Winter-Klincksieck, 1923, pp. 230-1 (*heîs*) e 701-2 (*hómoios/homós*).

na força do assemelhar e do simular, apresenta-o como simulacro (a mentira símil). O Símil mesmo é já Outro ao dar-se como símil, pois aí o ser-mesmo se oculta sob a similitude que o une ao Outro. Assim, na unidade desta similitude, estão unidos as mentiras e os fatos, pois os fatos, enquanto símeis, ocultam-se eles mesmos sob a similitude com outra coisa, — subtraindo-se enquanto ipseidade. E se a presença de um Deus vige e impõe-se essencialmente como ipseidade (i.e., como Ele-Mesmo), o encobrir-se da ipseidade por sob a similitude faz com que a própria Presença se esconda e se subtraia sob o simulacro verbal de mentiras símeis.

A similitude com que os fatos se dissimulam e se ocultam sob a simulação das mentiras símeis é a própria força da ocultação. E esta força não é outra senão as Musas, i.e., a própria força da des-ocultação, presentificação.

Como desocultação é que os gregos antigos tiveram a experiência fundamental da Verdade. A palavra grega *alétheia*, que a nomeia, indica-a como *não-esquecimento*, no sentido em que eles experimentaram o *Esquecimento* não como um fato psicológico, mas como uma força numinosa de ocultação, de encobrimento. Desde as reflexões de Martin Heidegger[5] estamos afeitos a traduzir *alétheia* por *re-velação* (como fiz no v. 28), *des-ocultação*, ou ainda, *não-esquecimento*. Isto porque a experiência que originariamente os gregos tiveram da Verdade é radicalmente distinta e diversa da noção comum hodierna que esta nossa palavra *verdade* veicula.

As mentiras símeis aos fatos opõem-se, portanto, às revelações — como a força da simulação ocultadora se opõe à da presença manifesta — e são, no entanto, uma só e mesma força. Para bem compreendermos o sentido dos versos 27-28, em que as Musas indicam que saber constituem, devemos evitar a mera contraposição de verdade e mentira e ainda mais evitar entender verdade e mentira como adequação (ou não) do intelecto à coisa ou como a confirmação (ou não) que a verificação empírica traz ao que a palavra afirma. As revelações que as Musas, se querem, sabem dar a ouvir são des-velações, o retirar-se seres e fatos do reino noturno (i.e., me-ôntico) do Esquecimento e fundá-los como manifestação e Presença.

O que passa despercebido, o que está oculto, o não-presente, é o que resvalou já no reino do Esquecimento e do Não-Ser. O que se

---

5) Cf., por exemplo, "Alétheia" em *Os Pré-Socráticos* (seleção de textos e supervisão do Prof. José Cavalcante de Souza). São Paulo: Abril Cultural, 1973, p. 129-42.

mostra à luz, o que brilha ao ser nomeado, o não-ausente, é o que Memória recolhe na força da belíssima voz que são as Musas. No entanto, Memória gerou as Musas também como esquecimento ("para oblívio de males e pausa de aflições", v. 55) e, força numinosa que são, as Musas tornam o ser-nome presente ou impõem-lhe a ausência, manifestam o ser-mesmo como lúcida presença ou o encobrem com o véu da similitude, presentificam os Deuses configuradores da Vida e nomeiam a Noite negra. O próprio ser das Musas geradas e nascidas da Memória as constitui como força de esquecimento e de memória, com o poder entre presença e ausência, entre a luz da nomeação e a noite do oblívio. Porque as Musas são o Canto e o Canto é a Presença como a numinosa força da parusia: este é o reino da Memória, Deusa de antiguidade venerável, que surge da proximidade das Origens Mundificantes, nascida do Céu e da Terra (v. 135).

O que as Musas fazem, quando assim falam (vv. 30-4), é, tanto quanto a fala, explicitação da natureza delas:

"por cetro deram-me um ramo, a um loureiro viçoso
"colhendo-o admirável, e inspiraram-me um canto
"divino para que eu glorie o futuro e o passado,
"impeliram-me a hinear o ser dos venturosos sempre vivos
"e a elas primeiro e por último sempre cantar".

Loureiro é árvore de Apolo, é a forma que assume no reino vegetal a cratofania de Apolo, — este Deus que juntamente com as Musas atribui o dom do canto e da citarodia (execução de cítara). Colherem as Musas um ramo a um loureiro viçoso (vv. 30-1) indica esta proximidade confluente destas duas forças divinas, como confluem o canto e a cítara. O cetro é, entre os gregos, símbolo de competência e autoridade com que se pronuncia esta palavra que se impõe e atua eficazmente, quer nas assembléias guerreiras, quer nas reuniões onde os reis (*basilêis*) decidem litígios entre o povo, quer nos círculos de ouvintes a deleitarem-se com a voz do aedo. O cetro é a insígnia que, socialmente, mostra no poeta um senhor da Palavra eficaz e atuante; — é um aspecto material do dom do canto. Ao recebê-lo das Musas, o poeta é por elas inspirado a cantar os Deuses, os heróis e os fatos presentes, passados e futuros. Elas lhe outorgam o poder que são elas próprias, — ou, dito de outro modo, mais usual e menos nítido, o poder de que elas são as detentoras.

Que significa gloriar o futuro e o passado?

Gloriar é expor um ser ou um fato à luz da manifestação, tal como a essência mesma deste ser ou fato o exige e impõe. Glória (*kléos*) é esta força de desvelação própria do que é glorioso, i.e., do que por sua essência mesma reclama a desvelação; — e esta força é *Kleió*, Glória, uma das Musas. Por isso, o poeta, consagrado pelo poder das Musas ao exercício deste mesmo poder, tem por função gloriar, i.e., desvelar o que por essência reclama a desvelação. — Mas por que o futuro e o passado? — Porque esta proclamação desveladora que o poeta exerce como o seu poder próprio é por excelência a profecia.

Para a percepção mítica e arcaica, o que na presença se dá como presente opõe-se, à uma, ao passado e ao futuro, os quais, enquanto ausência, estão igualmente excluídos da presença. Assim, passado e futuro, equivalentes na indiferença da exclusão, pertencem do mesmo modo ao reino noturno do Esquecimento até que a Memória de lá os recolha e faça-os presentes pelas vozes das Musas. O poeta, portanto, pelo mesmo dom das Musas, é o profeta de fatos passados e de fatos futuros. Só a força nomeadora e ontofânica da voz (das Musas) pode redimi-los, aos fatos passados e futuros, do Esquecimento, i.e., da Força da Ocultação, e presentificá-los como o que brilha ao ser nomeado, o que se mostra à luz: re-velação.

A voz das Musas é esplendor, júbilo e expansão da Presença nomeada. O grande espírito de Zeus Pai se compraz no interior do Olimpo com os hinos que se hineiam. O grande espírito de Zeus é a grande percepção (*mégan nóon*) da totalidade deste Canto que, impondo-se além de toda interrupção e dos limites temporais, coincide com o Ser, "ao dizer o presente, o futuro e o passado" (v. 38). O Canto se expande, jubiloso e esplêndido, na interioridade do Olimpo (*entòs Olympou*, v. 37) e faz com que a Casa da Divindade seja júbilo e esplendor (*gelâi... dómata patrós*, v. 40).

Voz infatigável, suave, lirial e imperecível espalha-se aí onde tem a sua residência a Divindade e é a voz mesma esta residência, porque por esta voz é que se revela a glória divina, e a própria voz se revela glória divina (vv. 36-52). — Revelando-se a glória divina, revela-se também o que a ela se opõe: o ser dos homens e dos poderosos (ou cruéis: o adjetivo *kraterós* é ambíguo) gigantes. Os homens se opõem ao jubiloso esplendor da vida divina enquanto eles têm por destino a miséria, a penúria, o sofrimento e a morte. E os poderosos gigantes se opõem à triunfal plenitude da vida olímpica enquanto são adversários derrotados e submetidos. Este é o sentido da palavra *aûtis* que inicia o v. 50: *aûtis* marca a oposição entre Deuses e homens, e entre a harmonia da paz olímpica e os poderosos e por ora vencidos adversários dessa harmonia.

Neste hino às Musas que é o hino das Musas (bem como toda a *Teogonia* é o hino das Musas a Zeus Pai), revela-se que o Ser é o encanto das Vozes (i.e., as Musas) e as Vozes não é outra coisa que a múltipla Presença do Divino.

IV. MUSAS E PODER

Com a narração do nascimento das Musas inicia-se a segunda metade do hino-proêmio da *Teogonia*. A primeira parte (vv. 1-52) concentra-se em torno da relação entre linguagem e ser, ou seja: entre o Canto em seu encanto e a aparição do que se canta, e conseqüentemente entre a Revelação (*alethéa*) e o Esquecimento (*lesmosyne*). A segunda parte (vv. 53-103) narra o nascimento das Musas e descreve, como decorrência deste nascimento e da natureza dos progenitores, os diversos aspectos e implicações do poder presentificante (o poder que são as Musas) e das funções desse poder. Uma conseqüente evocação e súplica às Musas (vv. 104-115) completa o hino-proêmio e serve de transição ao corpo do poema.

A rigor, não há na *Teogonia* uma *relação* entre linguagem e ser, mas uma *imanência recíproca* entre eles. Na *Teogonia* o reino do ser é o não-esquecimento, a aparição (*alethéa*); toda negação de ser vem da manifestação da Noite e seus filhos, entre eles o Esquecimento (*léthe, lesmosyne*). A linguagem, — que é concebida e experimentada por Hesíodo como uma força múltipla e numinosa que ele nomeia com o nome de Musas, — é filha da Memória, ou seja: deste divino Poder trazer à Presença o não-presente, coisas passadas ou futuras. Ora, ser é dar-se como presença, como aparição (*alethéa*), e a aparição se dá sobretudo através das Musas, estes poderes divinos provenientes da Memória. O ser-aparição portanto dá-se através da linguagem, ou seja: por força da linguagem e na linguagem. O ser-aparição é o desempenho (= a função) das Musas. E o desempenho das Musas é ser-aparição. É na linguagem que se dá o ser-aparição — e também o simulacro, as mentiras (v. 27). É na linguagem que impera a aparição (*alethéa*) — e também o esquecimento (*lesmosyne* v. 55). O ser se dá na linguagem porque a linguagem é numinosamente a força-de-nomear. E a força-de-nomear repousa sempre no ser, isto é, tem sempre força de ser e de dar ser. Não se trata portanto de uma *relação* mas de uma imanência reciproca: o ser está na linguagem porque a linguagem está no ser (e vice-versa). Na expressão de Hesíodo: as Musas *falam as aparições* (e também os simulacros de aparições) porque (= todas as vezes que) as Musas *se fazem presentes* como força numinosa que são das palavras cantadas.

Enquanto experimentada como múltiplas forças numinosas, a linguagem é uma estrutura que encerra para o homem não só todos os eventos e todas as relações possíveis entre eles, mas ainda a própria consciência que o homem tem de si e do mundo. A consciência é o círculo absoluto que encerra todos os eventos e entes possíveis: o âmbito da consciência, na imediatez concreta do pensamento mítico, cinge o âmbito do mundo. As relações entre os entes e a própria presença (ou ausência) de cada ente são, em cada momento e em cada situação, determinadas pela linguagem e — de um modo mais sensível — pelo nome e pela nomeação. A força de coerência da linguagem mantém em seus liames relacionais a coerência do mundo; a força presentificante do nome (ou melhor: da nomeação) é que mantém a coisa nomeada no reino do ser, na luz da presença, — o não-nomeado pertence ao reino do oblívio e do não-ser.

O homem arcaico sente que a força da linguagem o subjuga e que sua consciência se firma sobre a linguagem e é por ela dirigida. No caso de um cantor, que diuturnamente trabalha sua consciência das palavras e das estruturas lingüísticas, esta percepção do poderio avassalador e governante da linguagem torna-se ainda mais intensa e mais nítida. Eis então a experiência numinosa que constitui a epifania das Musas.

No caso de Hesíodo, a linguagem é por excelência o sagrado. No hino-proêmio da *Teogonia* ele exprime esta piedade e veneração pelas Palavras. O Sagrado é a pletora de ser. A experiência do sagrado é a mais viva experiência do que é o mais real, e é a mais vivificante experiência de Realidade. A partir de sua experiência da epifania das Musas, Hesíodo se torna Cantor, servo das Musas, o vigia da Palavra. Espiritualmente ele passa a habitar nesta proximidade do mais real.

Mas o que aqui, no caso de Hesíodo, é o mais real, — é especificamente as Palavras. E as Palavras falam do que é real e do que não é real, apresentando-os quando e como *elas querem* ("se queremos..." v. 28). As Palavras falam *tudo*, elas apresentam o mundo. Sendo as Palavras por excelência o mais real e consistindo o poder delas especificamente num poder de presentificação, nas Palavras é que reside o ser.

Esta imbricação recíproca de linguagem e ser não é senão a recíproca imbricação de linguagem e poder. As Musas têm e mantêm o domínio do ser enquanto poderes que são provenientes de Memória. Enquanto filhas de Memória é que as Musas fazem revelações (*alethéa*) ou impõem o esquecimento (*lesmosyne*). Este poder sobre o ser e o não-ser, este poder decidir entre a revelação e o esquecimento, — é em verdade a raiz originante de todo poder, porque este é o poder que configura o mundo e que em cada momento e em cada situação configura portanto todas as possibilidades de existência do homem no mundo assim configurado. Se na *Teogonia* há uma imanência recíproca entre linguagem e ser, esta imanência se dá pela recíproca imanência entre linguagem e poder — o poder de configurar o mundo e de decidir quais possibilidades nele se oferecerão em cada caso ao homem.

As Musas têm e mantêm o domínio da revelação (ser) e do esquecimento (não-ser) e este domínio é o da raiz originante de todo poder e exercício de poder. Na expressão mítica de Hesíodo isto se diz: as Musas são filhas de Memória e de Zeus.

Zeus é a expressão suprema do exercício de poder. Toda a cosmogonia, na visão de Hesíodo, converge e centra-se na assumpção da realeza universal por Zeus. A *Teogonia* é em verdade um hino às façanhas e à excelência guerreiras de Zeus; nela, tudo se dispõe na convergência para esta perfectiva diacosmese que é a assumpção deste último e definitivo Soberano divino, (re-)Distribuidor de todas as honrarias e encargos e Mantenedor da ordem e da justiça. Zeus é a própria expressão do Poder, e toda realeza e exercício de poder têm sempre a sua fonte em Zeus (*ek dè Diòs basilêes* v. 96).

As Musas nascem de Zeus. Uma lei onipresente na *Teogonia* é que a descendência é sempre uma explicitação do ser próprio e profundo da Divindade genitora: o ser próprio dos pais se explicita e torna-se manifesto na natureza e atividade dos filhos.

Não são fortuitos, portanto, os epítetos escolhidos para sublinharem, nesta passagem narrativa do nascimento das Musas, a natureza de seus pais. Da mãe se diz *medéousa* (v. 54) e do pai *metíeta* (v. 56). *Medéousa* indica sobretudo a atividade de cuidar (de), tomar conta de, donde a acepção de *reinar, dominar*: "rainha nas colinas de Eleutera". *Metíeta* de *mêtis* (= manha, sabedoria prática) envolve a idéia de habilidade em encontrar expedientes e saídas, traduzi-o — preservando a dignidade em que os gregos arcaicos tinham a *mêtis* — por "sábio". Esta que por seu espírito cuidadoso dirige e reina, este que em todas as circunstâncias sempre conhece e tem as vias e os meios, — eis o sentido dos epítetos, condizentes com a atividade do Cantor, nas condições da Cultura em que Hesíodo compôs seus cantos. — Por outro lado, também não casualmente, o número dos encontros amorosos revela-se no número das filhas. (Nove noites copulou com Memória o sábio Zeus, e ela pariu nove moças unânimes — vv. 56 e 60.)

As circunstâncias do nascimento das Musas dão-se consoante sua natureza, função e lugares de suas epifanias. As uniões do pai Cronida têm lugar em Eleutera, onde Memória era cultuada ("rainha") provavelmente por uma corporação de cantores, visto que a estes sobretudo concernem seus poderes; e elas nascem em Piéria (que deve ter sido então o principal centro de seu culto), perto do nevado Olimpo, para onde já se põem em marcha, a dançar e a cantar.

Se as Musas já vêm à luz na plenitude de seu ser e no desempenho de suas funções, entre este momento e as uniões de Zeus e Memória há um tempo de gestação marcado pela circularidade: "Quando girou o ano e retornaram as estações / com as mínguas das luas e muitos dias completaram-se" (vv. 58-9). Nestes dois versos, compostos de quatro cláusulas temporais, a noção de retorno cíclico recebe especial ênfase pela repetição do advérbio *peri*, pelos verbos a que este se refere, *étrapon* (= retornaram) e *etelésthe* (= completaram-se como um círculo que se fecha), além da própria palavra grega para indicar "ano" (*eniautós*), que designa todo objeto circular como um anel. A idéia temporal de *ano*, por si mesma já primitivamente ligada à de círculo (cf., *v.g.*, Lat. *annus, anus* e *annulus*), exprime-se aqui redundantemente como um circuito, como um retorno cíclico, — e em nenhuma outra parte da *Teogonia* há este acúmulo reiterativo, ainda que *eniautós*, o ano-círculo, apareça com verbo indicativo de movimento circular. Esta redundância aqui, portanto, é um realce significativo, e não fortuito. — Como nos versos de Parmênides "para mim é comum (*xynón*) / donde eu comece, pois aí de novo chegarei de volta" (D.K., 5), aqui nesta passagem hesiódica a circularidade do tempo encadeia o fim ao princípio, pois que as Musas, o *último rebento* de uma cadeia teogônica, tornam-se em Hesíodo a Divindade primordial, por serem os Nomes-Numes presentificadores do ser-aparição.

As Musas distam duas gerações da Divindade Originária, bisnetas que são da Terra de amplo seio, sede sempre inabalável de todos os seres (v. 117); e no entanto é pelas Musas que têm lugar as revelações, é por elas que a Presença se dá como Presença, elas são o fundamento do ser e a mais pletórica realidade. Terra é a sede inabalável de todos os seres e bisavó das Musas, as Musas são o que funda o ser-aparição e bisnetas da Terra. Esta recorrência inextricável, que não é senão outro aspecto da imbricação recíproca de linguagem e ser, imbrica a perspectiva do tempo nesta reciprocidade de linguagem e ser. A ênfase que nestes dois versos citados (58-9) se põe sobre a circularidade assinala um outro pólo da referência dos entes ao fundamento que os mantém, um pólo outro que o da Terra Mãe, e assinala a inter-referência que entre estes pólos-fundamentos se dá reciprocamente. Se estes versos não salientassem a noção de circularidade, este relato do nascimento das Musas discreparia de todo o espírito religioso e piedade contidos neste hino-proêmio.

Tão logo nascem, as Musas instauram o coro e a festa, acompanhadas das Graças (*Khárites*) e do Desejo (*Hímeros*). Este participa também do séquito de Afrodite, onde emparelha com Eros (v. 201). A arte das Musas não é apenas persuasão (nenhuma delas se chama *Peithó*, que é uma oceanina), mas a da sedução, a envolvência da beleza e do apelo sensual. Acompanha-as o Desejo, que elas despertam, e o companheiro deste, Eros, invade os ouvintes através da força da voz delas, que pela presença de *Éros* é uma voz *amável* (*eratèn óssan*, v. 65) e *bem-amável* (*ep-ératon*, v. 67). Uma delas chama-se *Eráto* (Amorosa, v. 78). Os coros delas são luzentes, brilhantes, no sentido do brilho da pele bem-nutrida (*liparoí*, v. 63). Junto a elas as Graças e o Desejo têm morada nas festas, quando cantam e dançam (vv. 64-7). *Festa* em grego se diz *thalía*, é o nome de uma das Graças e de uma das Musas. O primeiro sentido de *thalía é* o de viço, da exuberância de seiva, daí a noção de abundância e de festa. É a luxúria da fecundidade, tal como a Paz é viçosa, fecunda, para os camponeses (*tethaluîan*, v. 902), — como são fecundas, florescentes, as esposas dos Deuses (*thalerèn ákoitin*, v. 921, etc.), — e ainda como o Céu fundamento-origem da lúcida e dominadora raça dos Deuses Olímpios é *thalerós* (v. 138), fecundo, opulento de Vida e de sêmenes, ávido de cópulas.

Na exuberância da festa, do canto e da dança, na fecunda exaltação da Vida e da Alegria, as Musas fazem-se acompanhar de suas meio-irmãs, as Graças — filhas de Zeus e Eurínome (vv. 907-9) e "de seus olhos brilhantes esparge-se o amor solta-membros, belo brilha o olhar sob os cílios" (vv. 910-1). No poder das Musas, entre tantos encantos vibra também o *sex-appeal*. Como assinala Clémence Ramnoux[1], "os gregos conheciam três maneiras de se impor: pela violência (*bía*), pela persuasão (*peithó*) e pela sedução". Esta última é função das *Khárites*, Graças, sequazes-irmãs das Musas, e a estreita

---

1) Ramnoux, Clémence. *La nuit et les enfants de la nuit*. Paris: Flammarion, 1959, pp. 70-1. Em verdade Ramnoux omite, nessa enumeração, a mais importante dessas maneiras: a *mêtis*, que é amplamente estudada por Vernant e Detienne no belíssimo livro *Les ruses de l'intelligence. La mètis des Grecs*. Paris: Flammarion, 1974.

conexão entre ambos os grupos se revela também na homonímia (*Thalía-Thalía*) e proximidade onomástica (*Eutérpe-Euphrosyne*) entre indivíduos de um e outro grupo.

Na procissão para o Olimpo, em que cantam a realeza paterna, as Musas desempenham a função decorrente da natureza de sua mãe, Memória (vv. 68-75), assim como na subseqüente descrição de sua habitual atividade de patrocínio dos reis (vv. 80-93) elas se mostram na função herdada do ser de seu pai, Zeus soberano. No cortejo em que tão logo nascem vão ao Olimpo, as Musas dançam e cantam o poderio de Zeus, suas armas (o trovão e o raio), a vitória sobre seus predecessores pela qual conquista o poder, e a perfectiva ordenação do mundo e (re)distribuição de honrarias que Zeus levou a cabo ao assumir a soberania. Este tema de seus cantos e de sua dança coincide com o próprio tema da *Teogonia*: o poder e a ordem de Zeus, e a luta feroz pela qual se impõem. O canto das Musas com que Zeus se compraz no Olimpo coincide com a canção que Hesíodo compõe e canta inspirado pelas mesmas Musas: a Divindade se dá na canção.

Curiosamente, Hesíodo diz que "isto elas cantavam *tendo o palácio olímpio*" (v. 75). Vimos já que o verbo grego ter (*ékho*) conserva a dupla acepção de *habitar* e de *manter*. As Musas *têm* por habitação o palácio olímpio e elas o *mantêm* pela força do canto. É porque elas o cantam que ele se dá entre os homens como sublime Presença. Mantendo o palácio olímpio em seu canto, elas o mantêm como presentificação da ordem e do poder de Zeus, — elas revelam esta ordem e poder de Zeus, i.e., elas o fazem ingressar no reino luminoso do ser, do não-esquecimento. Mas a ordem e o poder de Zeus são, para Hesíodo, o próprio mundo, a suprema e máxima realidade. Como as Musas podem fazê-lo ingressar no reino do Ser, se o reino do Ser não é senão essa ordem e poder de Zeus? — Eis um outro aspecto da complexão de linguagem, tempo e ser. — Todo o dilema se dissolve se substituirmos a ordem predominantemente causal em que estamos habituados a pensar a conexão entre os fatos por uma ordem de concomitância, sem qualquer determinação causal: a ordem e o poder de Zeus, que por si mesmos é a realidade suprema, e o Canto, pela natureza da força que lhe é própria, fazem-nos ingressar no reino do Ser, o qual eles *são* tanto quanto o Canto é o Canto na força e natureza do Canto.

Em verdade, se esta voz que são as Musas é o suporte da cratofania de Zeus, é também uma explicitação do próprio ser de Zeus. Elas prolongam e exprimem o ser da Soberania Suprema na importância que elas têm para os reis, na medida em que elas é que fundamentam e amparam o exercício da realeza entre os homens.

Hesíodo solda o segmento em que as Musas se mostram como expressão do poder materno (Memória, o canto ontofânico e presentificador) ao segmento em que elas explicitam o ser paterno (Zeus, o exercício do poder e da autoridade) através de dois versos (vv. 79-80) em que se realça *Kalliópe*, a Belavoz. *Kalliópe* portanto é o elo que irmana reis e cantores, — e, por esta intersecção entre o canto e a realeza, cujo elemento comum é a Belavoz, podemos ter uma noção mais clara e mais bem definida do que entendiam por Belo os gregos arcaicos.

Reis são nobres locais que guardavam fórmulas não-escritas (*díkai*) consagradas pela tradição como normativas da vida pública e social. Estes senhores, por seu poderio e riqueza, detinham a autoridade de dirimir litígios e querelas, mediante a aplicação das fórmulas corretas, i.e., *itheíeisi díkeisin* (v. 86), cujo conhecimento e conservação era privilégio deles. A palavra *Díke*, que em grego veio a significar "Justiça", é cognata do verbo latino *dico, dicere* (= dizer), e designava primitivamente estas fórmulas pré-jurídicas[2]. Os reis, portanto, dependiam do patrocínio de Memória, para preservarem as *díkai*, do de Zeus, para poder aplicá-las em cada caso, e do das Musas, para que esta aplicação fosse eficiente e bem-sucedida, se não também para os fins anteriores.

O bom êxito dos reis em sua função judicatória dependia sobremaneira de suas "palavras de mel", do dom da sedução persuasora. Esta capacidade de "persuadir com brandas palavras", tanto quanto a conveniência geral da sentença dada no julgamento, é que asseguravam aos reis o gozo da boa reputação e popularidade. Além disso, a administração da justiça não era de modo algum um ato meramente cívico, mas também de caráter religioso e até mágico, — na medida em que a ordem social não se distinguia ainda, para a mentalidade mítica e arcaica, da ordem natural e até da ordem temporal (i.e., cronológica). A injustiça social acarretaria distúrbios nas forças produtivas e na ordem da natureza: peste e esterilidade nos rebanhos, escassez nas colheitas e portanto penúria e fome, e ainda filhos que não se assemelham aos pais ou que já nascem encanecidos (cf. *Trabalhos*, vv. 180-200 e 214-247). A manutenção da boa ordem social pelos reis era solidária da ordem da natureza

---

2) Cf. Benveniste, Émile. *Le vocabulaire des institutions indo-européennes*. Paris: Minuit, 1969, 2º vol., pp. 107 ss.

e dos acontecimentos, a sacralidade da justiça social transcendia o caráter civil das ações ao envolver o próprio cosmo e suas forças fecundantes e produtivas. Encontrar a fórmula correta, pronunciá-la com autoridade e incutir a aceitação dela no ânimo dos contendentes é praticar a reta justiça, e assegurar a pacificação social e a ordem da natureza (pela mutualidade desta com a justiça). E essa atividade se funda no uso eficiente das Palavras, tanto quanto a do Cantor. Por outro lado, este poder de pronunciar a fórmula justa e eficiente é um dom com que as Musas — como fadas madrinhas — dotam os reis a cujo nascimento elas assistem e aos quais elas honram, — o que implica uma vocação que acompanha o indivíduo ao longo da vida e para a qual ele deve ter-se preparado desde idade precoce. — Então, recapitulando o paralelo entre reis e cantores:

1) a função de ambos tem fundamento no uso eficiente de palavras das quais eles são os únicos guardiães, sob o patrocínio de Memória;
2) para ambos, o uso desta Palavra é uma especialização, uma qualificação que os distingue dos demais e para a qual se prepararam longamente e desde cedo, assistidos pelas Musas;
3) a autoridade de ambos se estriba na sedução e no fascínio que através da Palavra exercem sobre seu *entourage*;
4) o uso que ambos fazem da palavra tem repercussões nos destinos da comunidade e na ordem do mundo: o rei-juiz assegura com o bom uso de fórmulas (*díkai*) e de palavras persuasivas uma ordem que é ao mesmo tempo pública e cósmica, o cantor assegura através de suas canções a consciência que a comunidade tem de si e de suas conquistas e presentifica a esta comunidade os seus Deuses e as dimensões do cosmo. Em ambos os casos a Palavra tem o poder sobre o mundo, sua configuração e suas forças produtivas. É uma Palavra poderosa, cujo uso implica Forças divinas e o destino dos homens; e,
5) portanto, ambos são alunos e protegidos das Musas, ainda que a realeza como tal seja para os reis sempre oriunda de Zeus, de quem é a Realeza Suprema, e aos cantores, por seu turno, e só a estes, concorra o patronato que Apolo dispensa aos citaredos.

A ordem social não é senão o aspecto que entre os homens assume a ordem da natureza: una e única vige em ambas a *harmonia invisível*[3] mais forte e mais poderosa do que todas as suas manifestações. Na administração da justiça, baseada no uso correto e eficaz da Palavra, os reis colaboram com a manutenção desta ordem cósmica, com o que asseguram à sua comunidade o equilíbrio, a opulência e o futuro próspero. Os reis são operadores e colaboradores dos acontecimentos que se dão no cosmo, porque são Senhores da Palavra. O poder que têm da Palavra lhes dá o poder sobre acontecimentos sociais e cósmicos.

Os poetas também são, igualmente, Senhores da Palavra. Este privilégio incomparável, que irmana reis e cantores, é que dá a Hesíodo autoridade para repreender e invectivar os reis venais, cujas sentenças e justiça são subornáveis mediante presentes (ele invectiva-os nos *Trabalhos*). — A condição dada por este privilégio de custodiar o poder da Palavra, Hesíodo designa-a piedosamente pela qualificação de *servo das Musas* dada ao cantor (*Mousáon therápon*, v. 100), — enquanto pelo exercício deste mesmo poder os reis são *diotrephées*, "sustentados por Zeus", ou — na bela fórmula clássica,— "alunos de Zeus" (v. 82).

Belavoz é a mais importante das Musas, porque ela é que acompanha os reis venerandos (vv. 79-80). A voz é bela não porque seja agradável e requintada, é bela não por características que consideraríamos formais, — mas por este poder, compartilhado por reis e poetas, de configurar e assegurar a Ordem, por este poder de manutenção da Vida e de custódia do Ser. O cantor servo das Musas é o guardião do Ser, os reis alunos de Zeus são os mantenedores da Ordem (do Cosmo), a ambos por igual patrocina e sustenta Belavoz — Bela, por seu poder influir decisivamente nas fontes do Ser e da Vida, pela sua pertinência às dimensões do mundo e ao sentido e totalidade da Vida.

---

3) *harmoníe aphanés*. Cf. Heráclito, frag. 54 D.K.

V. A QUÁDRUPLA ORIGEM DA TOTALIDADE

As figuras que o pensamento arcaico elaborou são, freqüentemente, como que centro de *coincidentia oppositorum*. Reunindo em si atributos contraditórios, aspectos díspares e conflitantes da realidade, estas figuras os transcendem e integram em seu ser profundo, e podem revelar-se sob aspectos antitéticos. Se esta transcendência de todos os atributos é o modo de ser próprio da Divindade, o pensamento arcaico — marcadamente sensível à experiência numinosa — está muito mais apto e preparado para captar e compreender as múltiplas nuances enantiológicas do que nos permitem fazê-lo nossos hodiernos hábitos de rigor conceitual. Ambigüidade e pletora de sentidos são características destas figuras. Nosso esforço por compreendê-las e por transpô-las numa linguagem conceitual deve estar atento e precavido de que, se esta transposição é possível, o pensamento arcaico tem outros módulos de organização, outras instâncias e outra modalidade de coerência.

Ao buscarmos o sentido de uma destas figuras, devemos antes contar com nuances cambiantes que refletem aproximações ou identificações para nós insólitas entre estas figuras, e não com noções unívocas. O pensamento arcaico é concreto e simbólico, enquanto o nosso pensamento, abstrato, aspira à univocidade. O mais profícuo — parece-me — é ir circulando em torno destas figuras, em sucessivas abordagens, que sempre as apanhem de novo de um novo ponto de vista. Assim, nesta abordagem em círculos sucessivos, obteremos, em várias visões superpostas, as diversas implicações e correlações em que vigem e vivem estas figuras. Este método de circunvoluções e retomadas parece-me justificar-se por si mesmo, já que não é de outro modo que o pensamento arcaico procede: jamais aborda um objeto de uma única e definitiva vez descartando-se dele depois, mas sempre o retoma dentro de outras referências, circunvoluindo através de enfoques sucessivos e por vezes contrastantes[1], — como em verdade se verifica por toda a *Teogonia* hesiódica.

---

1) Fränkel, Hermann. *Early Greek Poetry and Philosophy.* Trad. ingl. de Moses Hadas e James Willis. Oxford: Basil Blackwell, 1975, p. 105.

Se perguntarmos pelo significado das Potestades originárias, os primeiro nomeados, nos versos 116-22 que abrem após o Proêmio a cosmogonia de Hesíodo, — teremos muitas respostas diversas de *scholars* que se preocuparam sobretudo com o sentido da palavra *Kháos* nestes versos, e, além destas respostas por vezes incongruentes, deparamos com uma enigmática questão.

Versos cuja autenticidade alguns editores suspeitaram e outros aceitaram, e cuja interpretação também variou, tornam controvertível o número destas Divindades originárias: são três ou quatro? *Kháos*, Terra e Eros — ou *Kháos*, Terra, Tártaro e Eros? — M.L. West admite em sua edição crítica a legitimidade dos versos que nesta passagem (116-22) a tradição nos legou:

"Sim bem primeiro nasceu Caos, depois também
"Terra de amplo seio, de todos sede irresvalável sempre,
"dos imortais que têm a cabeça do Olimpo nevado,
"e Tártaro nevoento no fundo do chão de amplas vias,
"e Eros: o mais belo entre Deuses imortais,
"solta-membros, dos Deuses todos e dos homens todos
"ele doma no peito o espírito e a prudente vontade".

F. Solmsen atetiza (i.e., suspeita) o verso 119: "e Tártaro nevoento no fundo da Terra de amplas vias". Neste verso entretanto M.L. West, aceitando-o, recomenda que se leia Tártaro como um elemento primordial distinto — contra uma outra possibilidade, que é a de ler a palavra *Tártaro* como complemento do verbo *têm* do verso anterior (= os imortais têm o Olimpo e o Tártaro). Ambas estas leituras remontam aos antigos, que já sentiam o problema: uma a Plutarco, Cornuto, Pausânias e Damáscio (a que é seguida por West), outra a Teófilo e Estobeu. Se acolhermos a proposta de West, que me parece mais bem fundada na tradição e autoridade dos Antigos (e mais bem encaixada no sentido do contexto), as Potestades que estão nas Origens são em Hesíodo: *Kháos*, Terra, Tártaro e Eros.

Mas em que relação se encontram entre elas estas Potestades? Por que esta multiplicação do Ser original? O que significam, nestes versos, estes quatro primeiro nomeados? Como se distinguem e quadruplamente se reúnem? — Porque dificilmente seria concebível esta multiplicação da Origem em quatro seres independentes e absolutos, e sem nenhum significado e função para esta quaternidade.

Como assinala Paula Philippson[2], há na *Teogonia* três eficientes recursos com que se determinam a natureza e sentido de cada Deus. Primeiro, o nome é por si mesmo significativo — salvo exceções de nomes cuja antiguidade ou etimologia não-grega tornaram opacos (e neste caso Hesíodo, seguindo uma tendência da Época Arcaica, procura resgatar-lhes a significação por meio de trocadilhos e jogo de palavras). Segundo recurso são os epítetos com que cada personagem pode ser, no estilo épico, amplamente qualificado. E, por fim, cada Deus se define por seu ponto de inserção na sua linhagem genealógica: toda descendência é uma explicitação do ser e natureza da Divindade genitora; quanto mais alta e próxima da origem uma Divindade, tanto mais rica e extensa em suas possibilidades de determinação, pois ela contém em si como virtualidade todos os poderes e seres que dela descendem.

Terra, além da clareza do nome, tem um epíteto que lhe define o ser: "de todos sede irresvalável sempre". É a segurança e firmeza inabaláveis, o fundamento inconcusso de tudo (*pánton hédos*, v. 117), nela e por ela têm a sua sede os Deuses Olímpios (*pánton hédos... athanáton*, vv. 117-8). Esta referência aos Imortais que tem o Olimpo exprime integramente o que há de sagrada proximidade nesta mais remota origem: o Olimpo representa para Hesíodo a mais atual e a mais forte experiência numinosa (nele Zeus tem sua sede). É esta atualidade numinosa (expressa nos Deuses Olímpios) que Hesíodo lembra ao nomear Terra como Potestade original, porque a aparição e presença da Terra como sagrada origem de tudo implica já uma experiência atual que é a destes habitantes do Olimpo, os seus mais perfeitos e belos descendentes — estes "Deuses doadores de bens", como também os designa Hesíodo (v. 111).

O Tártaro *é nevoento* (invisível) e fica no fundo da Terra de largos caminhos. O verso 720 o situa "tão longe sob a Terra quanto é da Terra o Céu". A simetria estabelecida por este verso é altamente significativa. Já que o Céu é uma espécie de duplo da Terra (cf. vv. 126-7), o Tártaro "no fundo da Terra" é uma espécie de duplo especular e negativo da Terra e do Céu (que são ambos "sede irresvalável para sempre" vv. 117 e 128). Os vv. 740-5 o descrevem como um "vasto abismo" (*khásma méga*) onde se anula todo sentido de direção e onde a única possibilidade que se dá é a queda cega, sem fim e sem rumo. O Tártaro, "temível até para os Deuses imortais", é o

---

2) Philippson, Paula. *Origini e forme del mito greco*. Trad. it. de Angelo Brelich. Milão: Einaudi, 1949, pp. 48-9.

lugar onde se estabelece "a casa temível da Noite trevosa, aí oculta por escuras nuvens" (vv. 744-5). O Tártaro, portanto, é o duplo especular e negativo (conforme a simetria descrita no verso 720 e vigorosamente enfatizada nos subseqüentes vv. 721-5) da Terra e do Céu — tanto quanto é o Céu um duplo perfeito e positivo da Terra que o "pariu igual a si mesma" (v. 126) "para cercá-la toda ao redor e ser aos Deuses venturosos sede irresvalável sempre" (vv. 127-8).

A localização do Tártaro ("no fundo da Terra") e sua natureza simétrica e negativa quanto à da Terra (lugar da queda sem fim nem rumo e do império da Noite) ao mesmo tempo que o ligam íntima e essencialmente à Terra (de que ele é o contraponto) aproximam-no e aparentam-no a *Kháos*, em cuja descendência se incluem Érebos (região infernal) e Noite.

A Eros sob a forma de uma pedra-ídolo era dirigido em Téspias pela época de Hesíodo um culto agrícola da fecundidade. Eros é a Potestade que preside à união amorosa, o seu domínio estende-se irresistível sobre Deuses e sobre homens ("de todos os Deuses e de todos os homens doma no peito o espírito e a prudente vontade"). Ele é um desejo de acasalamento que avassala todos os seres, sem que se possa opor-lhe resistência: ele é solta-membros (*lysimelés*). O melhor comentário que conheço a este epíteto de Eros é uma ode de Safo em que ela descreve seu estado de paixão amorosa que, num crescente, beira a lassidão, abandono e palidez da morte, enquanto sua bem-amada entretém-se com um homem[3]. E o melhor comentário que

---

3) Cf. Page, Denys L. *Lyrica Graeca Selecta*. Oxford/New York: Oxford University Press, 1968, frag. 199, p. 104. Essa ode, eu a traduzi assim:

Parece-me par dos Deuses
ser o homem que ante a ti
senta-se e de perto te ouve
  a doce voz
e o riso desejoso. Sim isso
me atordoa o coração no peito:
tão logo te olho, nenhuma voz
  me vem
mas calada a língua se quebra,
leve sob a pele um fogo me corre,
com os olhos nada vejo, sobrezum-
  bem os ouvidos,
frio suor me envolve, tremo
toda tremor, mais verde que relva
estou, pouco me parece faltar-me
  para a morte.
Mas tudo é ousável e sofrível...

conheço a Eros como força cósmica de fecundação é este fragmento de *As Danaides* de Ésquilo:

> "*O Amor* (Éros) *de acasalar-se domina a Terra.*
> "*Ama* (erâi) o *sagrado Céu penetrar a Terra.*
> "*A chuva ao cair de seu leito celeste*
> "*Fecunda a Terra, e esta para os mortais gera*
> "*As pastagens dos rebanhos e os víveres de Deméter*".

Eros, enquanto um dos quatro elementos que são a Origem, ao ser nomeado e ao presentificar-se o seu domínio, envolve já a referência a todos os homens e todos os Deuses, que surgirão *depois* dele. Tal como a Terra, ao ser nomeada como Origem, traz com sua nomeação a presença dos imortais que têm o Olimpo nevado. — E como potência cosmogônica, como força de fecundação da Terra pelo Céu através da chuva-sêmen, como força de acasalamento e da multiplicação da vida, Eros está tanto mais perto e aparentado ao Céu e à Terra (estas sedes sempre seguras dos Deuses e âmbitos da luz e da vida) quanto o Tártaro, por sua natureza hipoctônica, noturna e letal, está mais perto e aparentado ao *Kháos* com sua descendência tenebrosa e mortífera.

O nome *Kháos* está para o verbo *khaíno* ou sua variante *khásko* (= "abrir-se, entreabrir-se" e ainda: "abrir a boca, as fauces ou o bico") assim como o nome *Éros* está para o verbo *eráo* ou sua variante *éramai* (= "amar, desejar apaixonadamente").Tal como *Éros* é a força que preside a união amorosa, *Kháos* é a força que preside à separação, ao fender-se dividindo-se em dois. A imagem evocada pelo nome *Éros* é a da união do par de elementos masculino e feminino e a resultante procriação da descendência deste par. A imagem evocada pelo nome *Kháos* é a de um bico (de ave) que se abre, fendendo-se em dois o que era um só. *Éros* é a potência que preside à procriação por união amorosa, *Kháos* é a potência que preside à procriação por cissiparidade. Se a palavra *Amor* é uma boa tradução possível para o nome *Éros*, para o nome *Kháos* uma boa tradução possível é a palavra *Cissura* — ou (e seria o mais adequado, se não fosse pedante): *Cissor.*

> ("*Sim bem primeiro surgiu* Cissor, *depois também*
> "Terra *de amplo seio, de todos sede irresvalável sempre,*
> "*dos imortais que têm a cabeça do Olimpo nevado,*
> "*e* Tártaro *nevoento no fundo do chão de amplas vias,*
> "*e* Amor *que é o mais belo dos deuses imortais*"...)

Há na *Teogonia* duas formas de procriação: por união amorosa e por cissiparidade. Os primeiros seres nascem todos por cissiparidade: uma Divindade originária biparte-se, permanecendo ela própria ao mesmo tempo que dela surge por esquizogênese uma outra Divindade. Assim Érebos e Noite nasceram do *Kháos* (v. 123). Assim Terra primeiro pariu igual a si mesma o Céu constelado, pariu as altas Montanhas e depois o Mar infértil (vv. 126-32).

Toda a descendência de *Kháos* nasce por cissiparidade, exceto Éter e Dia, que constituem exceção também por serem dentro desta linhagem os únicos positivos e luminosos. Tudo o que provém de *Kháos* pertence à esfera do não-ser; todos os seus filhos, netos e bisnetos (exceto Éter e Dia) são potências tenebrosas, são forças de negação da vida e da ordem. Seus filhos são Érebos e Noite. Érebos é uma espécie de antecâmara do Tártaro e do reino do que é morto. Noite, após parir Éter e Dia unida a Érebos em amor, procria por cissiparidade as forças da debilitação, da penúria, da dor, do esquecimento, do enfraquecimento, da aniquilação, da desordem, do tormento, do engano, da desaparição e da morte — em suma, tudo o que tem a marca do Não-Ser. Estas potências negativas, toda a linhagem de *Kháos*, são geradas por cissiparidade; Éter e Dia, potências positivas, são exceções desta linhagem e geradas por união amorosa.

Neste caso, há uma simetria especular entre os genitores e os gerados: Érebos é a região subterrânea, tétrica e noturna ligada ao reino dos mortos; Éter (*Aithér* vem de *aítho* = "queimar, abrasar") é a região superior e de esplêndida luminosidade do céu diurno. Nem Noite nem Dia são aqui períodos cronométricos, não têm vínculos com o Sol e os astros (estes nascem de uma outra linhagem, independente e sem conexão com a de *Kháos*); Dia e Noite aqui são princípios ontológicos, a exprimirem imageticamente a esfera do Ser e a do Não-Ser. Esta oposição especular (Érebos: Éter: Noite: Dia) é subsumida no jogo enantiológico que é a mundivisão exposta na *Teogonia*. Dia e Noite, Ser e Não-Ser, guardam em si uma relação íntima e profunda entre si: o Ser vige e configura-se segundo uma estrutura configurada pelo Não-Ser, de tal forma que o pensamento que pensa o que é o Ser não pode não pensar o Não-Ser.

Érebos, as trevas infernais, tem só que invertidas a mesma posição e natureza que Éter, a luminosidade celeste, — e mais: o masculino Éter e seu par o Dia (que é feminino em grego: *Hemére)* nascem do par acasalado Érebos e Noite.

Do mesmo modo, "no fundo do chão" (i.e., da Terra) está o Tártaro. Vimos já a mesma simetria especular entre Tártaro e Terra-Céu; e agora fica mais claro para nós o que significa, enquanto situação do Tártaro, esta expressão "no fundo do chão" (*mykhôi khthonós*, v. 119). Terra, como assento inabalável e inconcusso de todas as coisas (Ser), tem "no fundo do chão" este seu duplo invertido, o Tártaro, que é pura Queda cega sem direção e sem fim, a total ausência e negação do Fundamento, uma imaginosa expressão do Não-Ser. "No fundo do chão" significa "no âmago da Terra", mas um âmago onde a Terra não é mais Terra e sim seu contrário: no âmago do Ser encontramos sua gemelaridade com o *Não-Ser*.

Tendo em vista a afinidade e confinidade de Tártaro com Érebos e, portanto, com *Kháos* (de cuja natureza Érebos como descendente é uma explicitação), prossigamos o exame do sentido e função desta Potestade que, do Quaternário Original, Hesíodo nomeia primeiro. Tártaro, *Kháos* e seus filhos Érebos e Noite são expressões diversas de diversas situações e modalidades em que manifesta a violência da Negação (do Não-Ser). Tártaro e Érebos, que nos ínferos se confinam, exprimem o Não-Ser topograficamente como o ínfimo além da extrema circunscrição aonde se estendem a luz do Céu e a firmeza da Terra. Noite e seus filhos (vv. 211-32) exprimem-no metafisicamente como o princípio de destruição e de perda que sob várias formas atua dramaticamente na vida humana. *Kháos*, como outra expressão metafísica do Não-Ser, é um princípio cosmogônico e — para dizê-lo com exatidão e integralmente — também ontogenético.

Como princípio cosmogônico, *Kháos* é a potência que instaura a procriação por cissiparidade, é um princípio de cissura e de separação, e como tal opõe-se a *Éros*, que, como princípio cosmogônico, instaura a procriação por união de dois elementos diversos e separados, masculino e feminino. Ambos, *Kháos* e *Éros*, estão lado a lado de Terra de amplo seio, de todos sede inabalável sempre. A rigor, *Kháos* e *Éros*, enquanto potências cosmogônicas, são paredros de Terra, que, sim, é o assento sempre firme, — o Fundamento Originário. *Kháos* e *Éros*, portanto, ladeiam a Terra-Ser como puros princípios ativos e energéticos, de naturezas opostas e contrapostas, como paredros (*par-édroi*) deste Assento Primordial (*pánton hédos*). *Éros*, princípio da união, é estéril, dele mesmo não surge nenhum rebento, ele de si mesmo nada produz. *Kháos*, princípio de divisão e separação, é prolífico e tem através de sua filha Noite numerosos descendentes:

— todos eles, incorpóreos como ele, são como ele puros princípios ativos e energéticos, sem *substância física*. Que o princípio da união seja estéril e o da divisão e separação prolífico — eis algo muito congruente com a sensibilidade e visão gregas. No *Banquete* de Platão, Eros é filho da Indigência (*Penía*) e do Expediente (*Póros*) herdando da mãe a incurável penúria e do pai a inesgotável habilidade. Na sabedoria de Heráclito, *Pólemos* (a Guerra) é o pai de todas as coisas e o rei de todas as coisas (cf. frag. 53 D.K.); a Guerra (que, nomeada no verso 228 da *Teogonia* como *Hysmínas te Mákhas te*, é descendente e portanto uma das expressões explicitadoras da natureza de *Kháos*) é um princípio cosmogônico fecundo e construtivo. *Kháos* e *Éros*, nesta leitura que estou propondo, prefiguram na *Teogonia* hesiódica as duas forças motrizes que em Empédocles encadeiam e desencadeiam o ciclo do processo cósmico: *Neîkos* e *Aphrodíte*, Ódio e Amor.

Como princípio ontogenético, *Kháos* é uma imagem mítica que, ao pensar o Não-Ser em termos cosmogônicos, compreende também o Não-Ser na condição gemelar em que Não-Ser e Ser se encontram enquanto Ser e Não-Ser igualmente estão na raiz da constituição de cada ente.

A relação entre *Kháos* e Terra não se dá do mesmo modo que a relação entre Eros e Terra. Neste Quaternário Original a simetria não é estática, mas dinâmica: é a tensa simetria de uma unidade quádrupla e agônica.

Dada a diversidade de natureza entre as duas forças de procriação, há uma prioridade de *Kháos* sobre Eros, e Hesíodo marca-a clara e reiteradamente. Para que mais bem se determine que prioridade é a de *Kháos*, examinemos por quais modos ela se marca:

1) como prioridade temporal de *Kháos* sobre Terra e Eros, expressa no advérbio *épeita* (= "depois") no v. 116: "Sim bem primeiro nasceu *Kháos*, depois também Terra (...)";

2) com a situação já citada de Tártaro (cuja homologia com *Kháos*, parece-me, já está bastante evidente para não ser preciso demonstrá-la aqui) "no fundo do chão". Ou seja: *Kháos* não só ladeia como paredro a Terra tal como Eros o faz, mas ainda sob a imagem de Tártaro está *no fundo da Terra*; — o domínio de *Kháos* estende-se da colateralidade à profundidade, enquanto Eros permanece paredro;

3) com os versos 736-8 (repetidos em 807-9): "da Terra trevosa e do Tártaro nevoento / e do Mar infértil e do Céu constelado, / de

todos, são contíguos as fontes e os confins". Aqui Terra e Tártaro (— *Kháos*) são apresentados como numa contigüidade em que ambos igualmente, se fundamentam.

A discussão sobre o que significa a prioridade temporal deixarei para quando tratar da concepção hesiódica de tempo, já que *épeita* (= "depois") no verso 116 não tem de modo algum um sentido cronológico e implica outras dimensões do Real que não os aspectos de que estou tratando aqui.

A inscrustação de Tártaro (— *Kháos*) no fundo da Terra e a contigüidade de "fontes e confins" entre Tártaro (— *Kháos*) e Terra são, a meu ver, exemplos das retomadas e repetições com que o pensamento arcaico aborda os temas de sua reflexão. Ambas estas passagens do Poema (e não só elas) exprimem em termos míticos que tanto quanto o Não-Ser se determina e se define a partir da determinação e definição do Ser, o Ser se determina (onticamente) e se define (num discurso) pelo Não-Ser e pelo conceito de Não-Ser. Entendendo-se *Kháos*-Tártaro como um princípio ontogenético, estas passagens citadas significam que cada ente se determina não tanto pelo que ele é, mas pelo que ele não é e pelo contraste (contigüidade) do que ele é com o que ele não é: tal como uma silhueta, cada ente ou cada coisa se determina e se define *contra* o pano de fundo (e de dentro e de frente e de fora, — múltiplo fundo) do que ele ou ela não é.

Terra e Tártaro, que não só se confinam nos ínferos mas têm contíguos fontes e confins, nomeiam ambos esta unidade antagônica em que se dão a totalidade do Ser e *também* o Não-Ser. A expressão mítica *Terra e Tártaro* equivale à expressão filosófica estóica *ti*, que, exprimindo o gênero supremo, engloba Ser e Não-Ser, — mas tendo eles em Hesíodo um antagonismo e uma identidade que não tiveram expressão no Estoicismo. Antagonismo e identidade pelos quais Tártaro se revela como uma contra-imagem do Céu ao revelar-se o Céu o igual e duplo da Terra. Simetria de Terra-e-Céu contrapostos especularmente ao Tártaro. E assim também Éter e Dia espelham Érebos e Noite. E assim também *Kháos* e Eros, como princípios cosmogônicos, se espelham. (Note-se bem: como *princípios cosmogônicos*, — dado que como princípio ontogenético e ontológico *Kháos* tem um peso e uma envergadura que Eros não tem.)

VI. TRÊS FASES E TRÊS LINHAGENS

Uma tardia instituição cultural, que a civilização européia elaborou ao longo de séculos, marca profundamente hoje a nossa visão de mundo e entendimento das coisas: essa interioridade psicológica, onde se enraízam e se originam nossas decisões e nossos atos, e que se nos dá como o fundamento e o estofo da personalidade. Somos de tal modo marcados por ela que nos causa espanto e até uma sensação de aporia a lembrança de que essa dimensão interior não é de modo algum um dado inerente à natureza humana, mas sim uma invenção ou descoberta que, por situar-se no centro organizador de nossa cultura, tem implicadas em si todas as perspectivas que, no âmbito de nossa cultura, nos restam abertas de entendimento e visão. Assim, parece-nos sem terceiro termo possível a distribuição de todos os fenômenos em duas categorias absolutas: ou são conteúdos de uma interioridade psicológica, ou uma realidade exterior e objetiva. E por um consenso unânime e inequívoco, há um elenco de fatos entendidos como interiores, subjetivos e por isso dotados de um grau inferior de realidade, dependentes e segundos, — aos quais se opõe uma realidade absoluta, forte e boa, entendida como exterior e objetiva. — Configurado pelas fronteiras entre o interior-subjetivo e o exterior-objetivo, está o Sujeito, detentor e custódio da dimensão interior e seus conteúdos, e fundado neste fulcro íntimo que é a vontade, — essa fonte permanente e inesgotável de todas as decisões e ações, e por cuja imanência e constância o Sujeito se torna em quaisquer circunstâncias responsável por seus atos presentes e passados, desde que a origem deles se defina como constituída por esta fonte que é a vontade.

No entanto, esse esquema dicotômico das coisas, essa complexa instituição que é a vontade e essa decorrente valoração do exterior-objetivo como realidade primeira e mais forte, — por mais naturais e reais que possam hoje nos parecer, — dificilmente encontram uma correspondência, próxima ou distante, na visão de mundo apresentada na *Teogonia* hesiódica. Não se verificam na mais antiga cultura grega.

São os líricos gregos que na Época Arcaica fazem a descoberta da profundidade e intensidade espirituais, preparando caminho para ulterior construção de uma interioridade subjetiva oposta à exterioridade objetiva. A novidade do intenso e do profundo que então se descobrem nos sentimentos e pensamentos revela-se na afirmação de Heráclito segundo a qual "não poderias encontrar os limites da psique, ainda que percorresses todos os caminhos, tão profunda razão (*lógos*) ela tem" (frag. 45 D.K.). Para Homero, a inteligência, por exemplo, pode ser múltipla, cheia de recursos (*polymetis, polyphron*), mas não profunda: o pensar profundo (*bathymétes, bathyphron*) é uma dimensão nova, explorada pela primeira vez pelos líricos e a seguir pelos pensadores, que inauguram uma nova modalidade de discurso.

A tragédia fará um de seus temas centrais a reflexão sobre o vínculo entre o agente e a ação, sem que ainda se possa constituir essa noção de vontade, de complexas implicações, que assinala no âmago do agente a fonte espiritual e constante das ações. Caberia ao esforço de reflexão que por seis séculos os Estóicos sustentaram dar a contribuição maior para que se delimitasse essa área de autonomia do sujeito, uma autonomia fundada e centrada na noção de vontade (que eles propuseram), — e assim se configurasse essa instituição cultural que, por analogia com a representação teatral, se denominou pessoa. Esta metáfora, que veio coroar o esforço dos dramaturgos atenienses e que fez a palavra *persona* transpor o âmbito do teatro para com maior glória designar isto que hoje todos nós entendemos que somos, esta metáfora devemo-la ao estóico e embaixador grego em Roma Panécio de Rodes.

Não importa nem cabe aqui historiar as vicissitudes originárias da noção de pessoa e sua constituição multi-secular. Basta-nos estarmos atentos e lembrados de que essa noção e seus elementos constitutivos, que enumeramos, não são traços da estrutura da visão de mundo hesiódica. E, sem esses traços, como esta visão de mundo se estrutura?

Caracterizadas a vontade, a pessoa e a dicotomia do interior-subjetivo e do exterior-objetivo como meros traços culturais, que podem não marcar determinada visão do mundo e do homem, examinemos então como se apresentaram o mundo e a realidade humana à visão de Hesíodo e seus contemporâneos.

Na oposição entre homem e Deus, pela qual unicamente se determina a área de atribuições e atributos de cada um dos dois, as fronteiras entre ambos são variáveis segundo a visão que deles têm as diversas culturas. A compreensão que o homem tem de sua própria essência e condição, de seu próprio corpo e das funções de seus órgãos corporais, — também não tem nada de inerente a uma natureza humana, mas é dada culturalmente, — tal como a idéia que o homem possa fazer de seu(s) Deus(es). Assim, muitas das atribuições que hoje por nós são entendidas como meramente humanas, os contemporâneos de Hesíodo as entendiam como privilégios da Divindade, inacessíveis aos mortais, — e o que na moderna perspectiva cristã se cinge exclusivamente ao Divino, os gregos arcaicos o compartilhavam em sã consciência com os seus Deuses.

Para Hesíodo, o mundo não é uma materialidade fundada em uma essência universalmente homogênea, subsistente por si mesma, e entregue às suas próprias leis nela inscritas e nas quais ela em seus movimentos e transformações se inscreve. Não há, nas diversas partes do cosmo, essa homogeneidade sob os fenômenos, nem essas diversas partes se regulam por leis intrínsecas, constantes e universais. Essa imagem do mundo é um produto da nossa ciência moderna e não extrapola as nossas modernas crenças científicas.

Para Hesíodo, o mundo é um conjunto não-enumerável de teofanias, séries sucessivas e simultâneas de presenças divinas. Cada presença é um pólo de forças e de atributos, que instaura e determina a área temporal-espacial de sua manifestação. Esta presença, que instaura a si mesma ao instaurar-se, inaugura de um modo absoluto o tempo e o espaço definidos de sua manifestação como o lugar decorrente e originado de sua presença. Trata-se em cada caso da presença de um Deus, somente com a qual passam a existir o tempo e o espaço em que esse Deus existe; — e desde que esse Deus passa a existir ele já está inteiramente presente em todos os tempos e lugares em que ele se manifesta e historicamente se dá sua vida. Não há um tempo e espaço que existissem antes de esse Deus existir e que ele viesse ocupar: a presença do Deus é a força suprema e original, originadora de si mesma e de tudo o que a ele concerne. O Deus não é senão a sua superabundante presença e está todo ele presente em todas as suas manifestações, já que presença não é senão manifestação, negação do esquecimento, verdade, *a-létheia*.

A presença de um Deus coincide com o âmbito de seu domínio. Entendido esse domínio de um Deus tanto no sentido temporal e espacial, como no de esfera de atribuições, conjunto de encargos e de funções exclusivos a ele, podemos dizer que um Deus grego não é senão sua *timé*. Toda transgressão ao domínio de um Deus implica para ele uma ofensa à sua *timé*, um apequenamento de sua grandeza, um enfraquecimento na expressão de seus poderes, — em suma, uma diminuição de seu Ser. Tocar a *timé* de um Deus, apropriar-se de algum privilégio tomado a ele, é diminuir-lhe o Ser. Por isso é que, — afirma a expressão piedosa que Heródoto atribui a Sólon — a Divindade é ciumenta e perturbadora[1]. O Panteão grego se configura nessa recíproca oposição de domínios, de *timaí* divinas, que não são senão presenças numinosas; é um jogo de Forças que neste mútuo confronto se determinam a si mesmas, estruturam-se e encontram sua própria expressão. Um confronto tenso, em que as fronteiras são atentamente vigiadas, estando cada Deus zeloso (*phthonerós*) de conservar íntegro o seu âmbito (sua *timé*). — A este confronto, descreve-o a sabedoria de Heráclito: "a oposição é reunidora, e das desuniões surge a mais forte harmonia: através do conflito é que tudo vem a ser" (frag. 8 D.K.). Neste contexto, não é difícil entendermos como Heráclito tenha encontrado no Combate (*Pólemos*, frag. 53 D.K.) e na diferença (*diapherómenon*, frag. 10 D.K.) a causa e o fundamento de todos os seres, e que tenha sentido como uma instância deontológica o "saber que o Combate é comum, a Justiça é o Conflito e todos os seres surgem através do Conflito e da Necessidade" (frag. 80 D.K.).

Tendo-se em vista essa natureza enantiológica do Panteão grego (um jogo de Forças que só se definem pela mútua oposição), também não é difícil entendermos, neste contexto, que uma antiga expressão com que os gregos designaram a Fatalidade fosse *Moîra* ou *Moîrai*, lote ou lotes: embora essa expressão fosse suscetível de receber e recebesse uma ideação antropomórfica, fica claro neste nome *Moîra* que a Fatalidade de modo algum era concebida como uma transcendência (*hyperousía*), mas como imanente (*parousía*). A Fatalidade, *Moîra*, é a condição constitutiva do próprio ser em que ela se exprime, e não uma imposição que se exercesse sobre o ser a que ela acompanhasse. Esta distinção é da maior importância para percebermos o quanto o pensamento arcaico é concreto, i.e., centrado na *parousía*: ele tende com a sua maior força para a Presença, o Ser para ele se dá como Presença.

A Fatalidade se deu à visão grega como uma partilha ou lote; sua coerção sobre os entes se deu como a impossibilidade de cada ente (divino ou humano) ultrapassar a esfera que lhe era própria sem que com isso transgredisse a esfera que constituía os privilégios (*timé*) de outro Deus. A força dessa Fatalidade é a da facticidade da partilha.

---

1) *phthonerón te kaí tarakhódes*, Heródoto, 1.32.

A partilha e os lotes, após terem sido discernidos e decididos em bélica medição de forças, repousam sobre o equilíbrio que, instável e suscetível de rupturas e irrupções, essas forças encontram quando se submetem ao vigilante domínio de Zeus. Este é o tema central e precípuo da *Teogonia* hesiódica a partilha e os lotes. Na súplica que finaliza o hino-proêmio, Hesíodo pede às Musas que cantem "como os Deuses dividiram a opulência e repartiram as honras" (*timás*, v. 112). Essa divisão da opulência e partilha das honras não significam outra coisa que o advento de cada Deus à sua própria existência e a agonística constituição das inúmeras existências divinas. A partilha das honras, ou seja, a configuração do mundo em sua ordem atual, completou-se através de três diferentes momentos que, embora associados às três fases cósmicas, não se devem confundir com elas. Quais são essas três fases e que três momentos são esses?

As fases cósmicas não se dispõem numa sucessão propriamente cronológica, embora também não sejam simultâneas. Cada uma dessas fases distingue-se das demais por uma temporalidade qualitativamente diversa, não havendo portanto um horizonte temporal uno e único que, ao reuni-las num mesmo plano, estabeleça entre elas uma rigorosa relação de anterioridade e de posteridade. Assim, ainda que essas três fases conservem múltiplos contatos entre si, não é possível representar num só e mesmo cronograma os eventos diversos das diversas fases, dadas as rupturas do nível temporal entre elas e, também, entre eles.

A primeira fase está nas proximidades das Origens. Num universo ainda informe, prevalece a força fecundante do Céu, que, ávido de amor e com inesgotável desejo de cópula, freqüenta como macho a Terra de amplo seio. Nesta fase original, o Céu desempenha as mesmas funções que, enquanto Céu, sempre terá: 1) cobrir toda a Terra ao redor, e 2) ser para os Deuses venturosos assento sempre seguro (cf. vv. 127-8). Cobrir a Terra e fecundá-la hierogamicamente através da chuva-sêmen; ser o assento dos Deuses é dar-lhes origem e fundamento, fundar-lhes a existência. Nesta primeira fase a Proximidade das Origens é tão forte e impõe-se tanto em sua unificante força de coesão, que ambas as duas funções do Céu se desempenham no único e mesmo movimento da fecundação: as mesmas hierogamias que fecundam a Terra assentam a existência dos Deuses de modo irresvalável. A Terra está constantemente prenhe, o Céu está em constante desempenho de ambas as suas funções, que, pela extrema vizinhança das Origens, se cumprem numa só ação extremamente cheia de potência vital. — A temporalidade dessa primeira fase é marcada por essa pletora de vida e por essa procriante superabundância que constituem as Origens no sentido de um início cronológico, mas Origens como as fontes permanentes e elementos constitutivos da vida. Assim, são fontes a Terra e seu igual (*íson*, v. 126), o Céu, a força do Amor que une e seu contrário, o Caos, cuja força é a da negação e da cisão; — a mais forte e intensa vizinhança dessas fontes é o que caracteriza a temporalidade desta primeira fase, o hierogâmico reinado do Céu.

O primeiro momento da partilha das honras é o da insurreição de Crono de curvo pensar, instigado pela Terra. Crono interfere na fecundação da Terra pelo Céu, pondo limite a essa fase em que os seres divinos (e também os humanos?) nascem diretamente do seio da Terra fecundada pelos sêmenes celestes. Crono representa uma forma de inteligência sinuosa, que age obliquamente, e, pondo-se de tocaia, surpreende e fere seu pai, o Céu, enquanto ele se entregava inadvertido e desenfreado a sua atividade, que, intensa e puramente vital, não conhecia regras nem a reflexão sobre conveniências e conseqüências. O ardil tramado pela Terra faz confrontarem-se a intensa e irrefletida vitalidade do Céu e o flexuoso pensamento de Crono. Esse confronto impõe um limite que regre a força fecundante do Céu, faz surgir Afrodite, que preside ao novo modo pelo qual Deuses e homens doravante se procriarão, e faz surgir também estas Potestades da retaliação às afrontas e transgressões: as Erínias, as Ninfas Mélias (= Freixos) e os Gigantes belicosos. Afrodite, a quem segue o cosmogônico Eros (v. 201), compartilha da natureza primordial do Céu, enquanto força incoercível e coercitiva de acasalamento, e compartilha da dissimulada inteligência de Crono, pelo que de enganos implicam os jogos amorosos (v. 205). Afrodite, ao subsumir no seu séquito *Éros* e *Himeros* (*Himeros*, v. 201, é esse mesmo Desejo que espicaçava o Céu *himeíron philótetos*, v. 177), manifesta esses mesmos poderes genesíacos, mas num grau mais requintado, trabalhado por um espírito sinuoso e previdente.

As Erínias devem preservar a ordem no novo jogo cujas regras se instituem com o golpe de Crono-Astúcia sobre o Céu-Instinto, devem manter nesse jogo o equilíbrio por meio de (re-)ações compensatórias. O Sol, *scilicet* os recursos da inteligência, não transgredirá as medidas, senão as Erínias auxiliares da Justiça o encontrarão (Heráclito, frag. 94 D.K.). A inteligência, que impõe limites ao instinto, encontra neles também os seus limites, impostos pelo instinto.

Esse novo âmbito, instaurado pelo afastamento do Céu e da Terra pela oblíqua intervenção da inteligência, é o mesmo campo em que se desfrutam e fazem suas vítimas os dons de Afrodite e em que se enfrentam e são vividos os riscos das potências guerreiras, os Gigantes combatentes e as Ninfas Mélias (Mélias são as lanças duríssimas, feitas do freixo, que têm em grego esse mesmo nome). A união afrodisíaca e o dissídio beligerante e mortífero têm um mesmo e único âmbito, esse onde campeia o rigor das Erínias, guardiãs da Justiça.

A segunda[2] fase cósmica é o reinado de Crono, cujo poder é o exercício de seu curvo pensamento, sempre de atalaia e sempre se disfarçando. Crono sabia, pela Terra e o Céu constelado, que, apesar de toda a sua força, era seu destino *por desígnios do grande Zeus* ser dominado por um filho (vv. 463-5). Se, ao reinar, o Céu por sua atividade se define como fecundo (*thalerón*, v. 138), Crono enquanto rei é o vigilante sempre à espreita (*dokeúon*, v. 466). Tocaiar e engolir seus filhos recém-nascidos são os expedientes com que ele toma o poder e procura preservá-lo. O seu modo de pensamento é dito curvo (*ankylométes*) porque ele só age obliquamente e sob ardil: e nisso está ao mesmo tempo a sua mais eficaz arma (o curvo pensar, a foice recurva, o ocultar-se e o engolir) e o seu irremediável limite (o ocultar-se e o engolir não impõem sua presença real como uma soberania, nem atingem a matriz donde provém a ameaça à sua realeza). É com essa arma e por esse limite que Crono é batido e derrotado: o ardil concertado por Réia com Céu e Terra (v. 471), "as artes e violência" de Zeus (v. 496).

O reinado do Céu não é senão a manifestação primordial de poder procriativo das hierogamias de Céu e Terra nessa fase cósmica em que a natureza prolífera do Céu prevalece incontrastada. O reinado de Crono é uma soberania cuja circunscrição se delimita e se restringe pela própria natureza de seu poder, é uma soberania que não se expande mas que por sua própria natureza permanece sempre paroquial, — e assim paroquial e restrito permanece o reinado de Crono sobre os homens da Idade de Ouro (*Trabalhos*, v. 111) e nas longínquas e além-mundanas Ilhas dos Bem-Aventurados (*Trabalhos*, v. 173a). Os limites do reino de Crono coincidem com

---

2) Que o recurso a esses ordinais (1º, 2º, 3º) nesta exposição não leve o leitor a supor exatamente o contrário do que nela se diz; eles têm aqui o mesmo valor que quando usados com referência a elementos que compõem o *con-junto* de uma estrutura.

os limites do modo e da forma de inteligência que ele representa. Entretanto, o reinado de Zeus — que corresponde à terceira e perfeita fase cósmica — tem a universalidade desfrutada pelo reinado do Céu, sem se restringir como este a um instinto básico, e tem a vigilante previdência exercida parcialmente por Crono, sem se restringir como este ao modo e forma da inteligência sinuosa. O reinado de Zeus é a plenitude de poderes que centra em si a Totalidade Cósmica porque ele próprio se centra no espírito (*sêisi epiphrosyneisi*, v. 658; *epíphrona boulén*, v. 896); — própria de Zeus é a grande percepção (*mégan nóon*, v. 37).

O segundo momento da partilha das honras é o da dominação de Crono por Zeus e o catastrófico movimento que constitui a Titanomaquia. Contrastando com o aspecto benévolo com que perduram para sempre o reinado de Crono e a vida sob Crono (*ho epi Krónou bíos*), mas concorde com este outro lado de um Crono-Ogro a devorar os próprios filhos, temos essa horrenda batalha entre as forças coligadas por Crono e os Deuses Olímpios comandados por Zeus. Nessa disputa por decidir-se em quem se centra a realeza universal, a Terra, o Céu, o Mar e as circulares correntes do Oceano estremecem abrasados pelo fogo do combate. A Totalidade Cósmica parece reingressar nas Origens donde proveio: Céu e Terra parecem fundir-se desabando-se um no outro, a chama prodigiosa reúne tudo num único sopro, e o próprio Caos — esse princípio cosmogônico de cisão e de diferenciação — é traspassado na fusão desse incêndio (vv. 690-705).

Quando o termo do combate, tal como o peso de uma balança, pende (*eklínthe*, v. 711) favorável aos Olímpios, — as forças de Crono são encadeadas e desterradas e lançadas ao Tártaro. A Titanomaquia, em que Zeus, para enfrentar o adversário múltiplo se socorre à coligação de outros Deuses, duplica-se no episódio da luta contra Tifeu, em que Zeus enfrenta só um adversário só. Também nessa segunda e solitária luta, a Terra, o Céu, o Mar, o circunvolvente Oceano e o Tártaro retumbam e fervem. Tal como o estanho e o ferro se derretem e se fundem sob a força metalúrgica do fogo, a Terra prodigiosa se queimava e se fundia à intensidade do fogo do combate (vv. 839-68). Vencido, também Tifeu, — tal como os adversários precedentes — é lançado ao Tártaro.

Assim, o segundo momento da partilha cósmica consiste no movimento de uma guerra em que tudo — tanto quanto a sorte das duas forças que se combatem, — está em jogo, e em que tudo, — até as Divindades Primordiais e Extremas, originadoras da Totalidade Cósmica, se dissolve e se funde nessa única oposição na qual se opõem essas duas forças que não são senão desempenho e empenho de combater. O movimento dessa guerra funde e revolve tudo em si próprio e transmove tudo em sua própria conflagração. Até o princípio ontológico e cosmogônico de cisão e de distinção, o Caos, é traspassado, envolvido e contido no incêndio divino (*kaûma dè thespésion kátekhen kháos*, v. 700): — tudo é um só e vivo fogo que, ao medirem-se, as forças antagônicas conflagram; e, nessa *Ekpyrosis* que é a guerra, Zeus se mostra Rei, e seus inimigos se fazem prisioneiros. (Cf. Heráclito, frags. 30 e 53 D.K.)

Lançar ao Tártaro, ao infra-mundo ou ao além-mundo, os inimigos vencidos e agrilhoados significa, a rigor, excluí-los da atual fase do mundo. Os inimigos são vencidos, não extintos; não são mortos porque são divinos e imortais tanto quanto Zeus e os Deuses Olímpios. Eles apenas podem ser expulsos e terem o exercício de seus poderes restringido a esferas remotas, longínquas; e de lá poderiam regressar, se não os obstasse a irredutível vigilância do espírito de Zeus e suas armas fulminantes. O reinado de Zeus e a sublime vida dos Olímpios têm o seu fundamento na previdente e ininterrupta vigilância sobre as monstruosas forças que, para constituírem-se, esse reinado e essa vida olímpicos combateram, recalcaram e mantêm sob custódia. De Zeus é o grande espírito, *mégas nóos*, o que em grego significa primeiramente: a grande percepção, — o irrelaxável estado de alerta.

Além das fronteiras do mundo, esses inimigos estão vivos e despertos, foram apenas despojados da mais alta *timé* que constitui a participação no cosmo de Zeus. Esses inimigos não pertencem de modo algum a um passado perdido e irrecuperável. O não-presente não é um pretérito irreversível, mas é tão-somente o distante e longínquo. Se não pertence mais à atual fase do mundo, o não-presente é então o além-mundano, o que se situa na distância além do círculo do Oceano ou nas profundezas abissais do Tártaro. É esse o estatuto temporal dos inimigos vencidos de Zeus: eles estão excluídos do lúcido e bem ordenado tempo de Zeus, porque a própria natureza deles pertence a uma temporalidade de outra natureza que a de Zeus. Esses inimigos, forças que são da violência e da desordem, não são compatíveis com o tempo regular, organizado e cíclico que, sob o nome de *Hóras* (= Estações), Zeus gerou unido a Têmis (= a Regra que define o direito no interior da família). Esses inimigos são degredados a essas regiões ônticas cuja temporalidade amorfa e confusa condiz com a natureza deles. Para a Cultura da Época Arcaica, note-se bem, o tempo não flui num único e irreversível sentido, mas cada acontecimento, grande ou pequeno, tem o tempo que qualitativamente lhe é próprio e que a ele se vincula com patente e inextricável solidariedade (cf. *Trabalhos*, vv. 765 ss.). E tudo o que com o selo do Ser vem à luz tem sempre a possibilidade de retornar à luz da Presença, pelos dons de Memória e das Musas, por meios mágicos (como, *e.g.*, a descida ao Hades, na *Odisséia*), ou pelo poder da vidência que, adquirido mediante certas práticas, dá aos homens acesso ao Invisível e ao Longínquo.

No entanto, se, para uma sensibilidade piedosa como a de Hesíodo, a mais alta *timé* (o mais alto mérito, a mais alta dignidade) consiste na diligente participação do cosmo de Zeus, — isso não significa que seja má e pior que a dos homens sob o reinado de Zeus a vida que se vive em outras fases do Mundo, isto é, em outro *kósmos*, outra Ordem que não a de Zeus. Em *Os trabalhos e os dias*, por duas vezes Hesíodo se refere à vida paradisíaca e à perfeita beatitude vividas por homens mortais em outra fase do Mundo. A primeira é a referência aos homens da raça de ouro, "que viveram sob o reinado de Crono, quando ele reinava no céu; e como Deuses eles viviam, com o ânimo sem tristezas, sem conhecer a fadiga nem a miséria; nem a velhice vil lhes sobrevinha, mas sempre iguais quanto aos braços e pernas eles se regozijavam na opulência, distantes de todo o mal; morriam como subjugados pelo sono, e tinham todos os bens". (*Trabalhos*, vv. 111-7.) — A outra é a referência aos Heróis, "a quarta raça sobre a terra multinutriz" (*Trabalhos*, v. 157), os quais "Zeus Cronida instalou *nos confins da Terra*, e eles com o ânimo sem tristezas habitam as Ilhas dos Beatíficos, junto ao Oceano de rodopios profundos". (*Trabalhos*, vv. 168-71). — Ambas essas raças vivem num Tempo carregado de força vital, num tempo opulento e forte, em que o solo fértil produz espontaneamente doces e generosas colheitas; ambas as raças *foram feitas* (*Trabalhos*, *poíesan*, v. 128; *poíese*, v. 158) por Zeus e pelos Deuses Olímpios; e ambas vivem sob o reinado de Crono. — Portanto, se o tempo instaurado por Zeus é regular, orgânico, bem ajustado e cíclico, próprio para que nele os homens se empenhem com recompensada diligência no culto do(s) Deus(es) e no cultivo da(s) Terra(s), — não é de modo algum o único compatível com a vivência da Ordem, nem o melhor e o mais feliz dentre os muitos tempos divinos e humanos.

"Quando os venturosos completaram a fadiga
"e decidiram pela força as honras dos Titãs,
"por conselhos da Terra e exortavam o Olímpio
"longividente Zeus a tomar o poder e ser rei
"dos imortais. E bem dividiu entre eles as honras."

Esses versos da *Teogonia* (881-5) abrem a descrição principal do terceiro momento da partilha das honras. Impostos pela força aos Titãs e a Tifeu o discrímen e a disciplina de Zeus, que no combate se revela o maior e o mais sábio, segue-se a aclamação de Zeus, pelos Deuses a ele coligados, como o definitivo árbitro na divisão da opulência. A Grande Partilha se completa na configuração definitiva em que se firma o cosmo de Zeus, por meio das diversas núpcias do novo soberano com Potestades primordiais, resultando dessas uniões os poderes divinos centrais na vigência da ordem que é a terceira e perfeita fase do Mundo.

O terceiro momento da partilha coincide portanto com a estruturação e constituição do reino de Zeus. Tal como o segundo momento da partilha se decide por essa forma de (re-)união que é a Conflagração bélica e nesse momento a Totalidade, pela força do Fogo do Combate, reingressa em uma agonística Unidade anterior às Origens (que são múltiplas e até o originante Cissor-Caos se funde nessa Unidade agônica), — assim também o terceiro momento da partilha se decide sob a forma das uniões nupciais de Zeus. Partilhar é unir. Partilha é aproximação e união: a união do corte (confronto de Céu e Crono), a união da Guerra (em que o Todo arde em Fogo), e as uniões nupciais de Zeus com diversas Divindades que, como descendentes das diversas Potestades Originais, são explicitações em que essas Origens atingem as mais definidas expressões de alguns de seus aspectos.

Zeus casa-se com *Mêtis*, a oceanina; com *Témis*, a uranida; com Eurínome, a oceanina; com Deméter, a cronida sua irmã; com Memória, a uranida; com Leto, neta de Céu e Terra; e com outra irmã sua, Hera; — e assim constitui o seu reino.

Para apreciarmos o sentido e função de cada uma dessas Potestades, temos que as apreciar como momentos que elas são de uma particular linhagem. As três fases cósmicas, ou melhor, essas três expressões em cada uma das quais determinada Ordem (= um *kósmos*) se exprime, encadeiam-se entre si através de Linhagens. Essas Linhagens são conexões genealógicas que embora pareçam implicar a sucessão de pai a filho não impõem às fases cósmicas nenhuma relação de sucessividade, porque os filhos já estão (implícitos) nos pais assim como os pais estão (explícitos) nos filhos. O significado de cada casamento de Zeus é dado pelo ponto em que sua cônjuge surge na Linhagem dela, e pela natureza dessa Linhagem.

Enraizadas nas Origens distinguem-se três Linhagens: a do Caos, a do Céu e a do Mar. As Origens constituem-se de: CAOS, que como força de separação se opõe à força de união EROS, CÉU, que como duplo positivo da TERRA se opõe ao duplo negativo dela, TÁRTARO; — a Terra como fundamento e centro (assento inabalável) ladeia-se de duas forças-paredros Caos e Eros, e duplica-se simetricamente no seu igual, o Céu (assento inabalável), e na sua contra-imagem, o Tártaro (o anti assento, queda abissal). O Tártaro — distante da Terra como a Terra dista do Céu — por sua natureza abissal tétrica está para o negativo e noturno Caos assim como o Céu prolífero e fundamentador está para o fecundante Eros. O Tártaro, tão próximo de Caos, não tem descendência, mas o Caos, sim, se explicita numa Linhagem. Eros, tão próximo de Céu, não tem descendência, mas o Céu, sim, se explicita numa Linhagem. Terra, que é o centro e o fulcro de Tudo, explicita-se não só através da Linhagem de seu igual, o Céu, mas ainda numa outra esquizogênese procria o Mar, que se explicita em sua própria terceira Linhagem. Tão múltiplo é o ser do Fundamento que sua explicitação se impõe em dupla Linhagem centrada em torno de dois eixos: o ser do Céu e o ser do Mar. — A Linhagem do Caos em nenhum momento cruza com as duas outras explicitadoras do ser da Terra, i.e., a do Céu e a do Mar, — mas essas duas Linhagens irmãs cruzam-se múltiplas vezes.

O Mar, este ser mutável e informe, funda a Linhagem dos que se marcam predominantemente por essa natureza primordial do Mar. A variabilidade, as transformações, o disforme e a imensidade são traços pertinentes, sob aspectos positivos ou negativos, desta Linhagem. Os aspectos positivos do Mar exprimem-se em Nereu e nas Nereidas. A navegação propícia, fonte de riquezas, ligação e caminho entre as terras, os ingredientes marinhos das belas paisagens mediterrâneas, tudo isso se revela nos nomes das Nereidas; — e não só isso: mutável, imenso e informe, o Mar representa também um tipo de sabedoria de inesgotáveis recursos, que prevê o imprevisível, que enxerga o recôndito e o inescrutável; — em suma: uma consciência que, como o Mar, domina, em todas as suas dimensões, a amplidão temporal e espacial. Um saber oracular e prático que Nereu — o mais velho filho do Mar (v. 234) — detém, e cujos diversos aspectos alguns nomes de suas filhas nomeiam. Muito próximo, por sua natureza aquática, de seu tio Mar, o uranida Oceano também detém esse mesmo tipo de sabedoria, que sob a forma mais plena e depurada se revela no nome e no ser desta oceanina que, primeira esposa de Zeus, a ele se incorporou: *Mêtis*, a Sapiência ou Astúcia.

Imenso, mutável e informe, o Mar gera o Espanto (*Thaúmas*), de que nascem as duas surpreendentes Harpias (que são Tempestade e Alígera) e a rápida Íris mensageira dos Deuses (vv. 265-9). — O Mar gera também o grisalho e viril Fórcis, cujo nome se liga tanto ao de um peixe marinho quanto ao adjetivo *phorkós*, "alvacento", "grisalho" (e Fórcis é pai das duas *Graías*, as "Velhas", "grisalhas de nascença", vv. 270-1). — O Mar gera *Ketó*, cujo nome se liga a *kêtos*, designativo dos cetáceos e de monstros aquáticos em geral: desta deusa Ceto unida a Fórcis nascem os monstros, divinos e de estranhas e compósitas formas, combatidos por Heracles e outros heróis (vv. 270 ss.). — E o Mar gera ainda Euríbia (*Euribíe* = "Larga Violência"), que, acasalando-se com o uranida Crios, tem entre seus filhos Astreu, o pai dos astros.

O Céu, lúcido e dominador de todas as paisagens, funda a Linhagem dos que se caracterizam predominantemente pela inteligência, lucidez e exercício do domínio. Entre os primeiros filhos do Céu estão duas das primeiras esposas de Zeus: *Thémis* (a Lei que vigora no interior da família, conforme o modelo indo-europeu) e *Mnemosyne* (a Memória, mãe das Musas). A Linhagem do Céu é a dos reis Crono e Zeus.

Quanto à Linhagem de Caos, já estudada no capítulo anterior, vamos retomá-la aqui concisamente. A ela pertence tudo o que se marca pela chancela do Não-Ser, todas as formas de violência das potências negativas e destrutivas. Os descendentes de Caos não se unem procriativamente a ninguém (exceto a união de Érebos e Noite, que procriam assim Éter e Dia, segundo o verso 125, que por isso é dado como não-hesiódico por alguns editores); eles atuam como potências de cisão, de desagregação, da violência e da morte, — pois assim se expressa o poder de Caos.

No episódio em que Crono impõe um limite às atividades prolíficas do Céu, o golpe cortante da foice recurva incide sobre os *médea*. (Esta palavra *médea* se traduz, conforme o contexto, de dois modos diferentes: se se trata dos *áphthita médea* de Zeus ou dos *médea de* algum outro Deus, traduz-se por "desígnios imperecíveis" ou por "desígnios"; — se se trata do Céu, então os *médea* equivalem a genitália, — talvez porque, como os desígnios do Céu são só copular e emprenhar, despojá-lo de seus desígnios não é senão castrá-lo.) Dos *médea* arrancados ao Céu surgem, de uma parte, dos salpicos sangrentos caídos sobre a Terra, as Erínias, e, de outra parte, da espuma-esperma (*aphrós*) ejaculada e caída no Mar, Afrodite. As Erínias vêm do sangue que se derruba no chão como Afrodite vem do esperma que docemente bóia no Mar. As Erínias vingadoras de todas as transgressões têm uma natureza ctônica e próxima da Terra tanto quanto Afrodite cheia de sorrisos e de enganos (cf. v. 205) tem a natureza mutável e manhosa como a do Mar. E pela violência com que na ardilosa emboscada ele impõe limites a seu pai, Crono encontra sua punição num ardil feminino, o de sua esposa Réia (vv. 471 ss.). Neste episódio em que Réia prepara as condições para que "o grande Crono de curvo pensar" expie as Erínias de seu pai e dos filhos que engolira (vv. 472-3) entra em vigor juntamente o poder de Afrodite e o rigor das Erínias, com os quais a manha feminina executa uma punição.

Para assegurar que seu poder não será superado e que o domínio que ele exerce sobre o seu pai não será por sua vez dominado, Zeus recorre a núpcias que são alianças políticas. Zeus, ao iniciar seu reino, desposa uma divindade de natureza aquática, *Mêtis*, e uma de natureza terrestre, *Thêmis*.

Com esses dois casamentos inaugurais, Zeus garante o seu controle sobre esses âmbitos donde provieram as potências sob as quais Crono se viu dominado e superado: o aquático âmbito da manhosa presciência (Afrodite, *Mêtis*) e o terrestre âmbito da lei inconcussa (Erínias, *Thémis*).

Quando Crono impõe pela primeira vez o seu poder, superando o de seu pai Céu, instaura-se o âmbito de uma nova ordem, em que vige o acasalamento por graças e manhas de Afrodite (e não mais pela mera ação filogenética do cosmogônico Eros, que açulava o Céu) e em que vigem também as justiceiras Erínias, as belígeras ninfas Freixos e os Gigantes aguerridos; — um âmbito em que a guerra e enganosos gozos, as batalhas e ilusórios jogos de amor encontram os seus termos sob o império das implacáveis Erínias, mantenedoras do equilíbrio e reparadoras de infrações. — Crono é batido com as mesmas armas com que bateu seu pai: a ação oblíqua, o curvo pensar. O ardil de Réia, enquanto astúcia feminina, é homólogo à natureza do Mar donde emerge Afrodite e à natureza da oceanina *Mêtis*; — e, enquanto pena de talião que pune com o mesmo instrumento do crime, o ardil de Réia é a reparação das Erínias, vinculado à Terra que a foice recurva salpicou de sangue, e homólogo à natureza de *Thémis*. (Cf. Ésquilo, *Prometeu*, vv. 209-10, "*Thémis* e Terra, uma forma única de muitos nomes".) — São esses dois âmbitos, o Mar e a Terra, de onde podem surgir a ameaça ao poder e a retaliação à tomada mesma do poder, que Zeus concilia e controla ao unir-se a *Mêtis* e a *Thémis*.

Não casualmente, *Mêtis* não é uma nereida, mas uma oceanina. Como filha do rio que circunvolve a totalidade da Terra, *Mêtis* representa a presciência oracular e prática que abarca a totalidade dos recursos do espírito. Ela é "a que mais sabe dentre Deuses e homens mortais" (v. 887). E, uma vez que ela é incorporada a Zeus, não há mais recurso ao espírito que não seja circunscrito pela consciência de Zeus, nem recurso do espírito que não esteja contido no espírito de Zeus. Nenhum logro pode ser tramado sem que se dê ao conhecimento de Zeus. Todos os estratagemas e todos os desígnios tão logo concebidos em qualquer tempo ou lugar são abarcados pela grande percepção de Zeus, porque, tendo incorporado a si a própria *Mêtis* (Sapiência), Zeus não é um Deus que tenha entre suas faculdades o recurso à *Mêtis*, mas é ele próprio o *Metíeta Zeús*, "Zeus Sapiente" (cf. v. 904). Tal como o rio Oceano cinge com suas correntes circulares a totalidade da Terra-Fundamento inabalável, também o *Metíeta Zeús* cinge com sua grande percepção a totalidade do que é.

Se com a primeira aliança nupcial Zeus se assegura do domínio sobre o imprevisível, o instável e o cambiante (*Mêtis* se traduz por Sapiência, mas também por Astúcia ou Ardil), —no segundo consórcio Zeus se associa ao estável, ao inabalável e incontestável: *Thémis*, filha do Céu e da Terra, e que, segundo o *Prometeu* de Ésquilo, é um outro nome da própria Terra.

Tendo-se tornado *Metíeta* e tendo com isso posto seu reinado definitivamente ao abrigo das sublevações, Zeus gera Palas Atena, que é ela própria a Sapiência guerreira. Unindo-se à Lei Ancestral *Thémis*, Zeus estabelece ordem, ritmo e medida no seu reinado: gera as *Hórai* e as *Moîrai*. No seu livro *Le vocabulaire des institutions indo-européennes*, Émile Benveniste define assim este vocábulo: "Na epopéia, entende-se por *thémis* a prescrição que fixa os direitos e deveres de cada um sob a autoridade do chefe do *génos*, quer na vida cotidiana no interior da casa, quer nas circunstâncias excepcionais: aliança, casamento, combate. A *thémis* é o apanágio de *basileús*, que é de origem celeste, e o plural *thémistes* indica o conjunto destas prescrições, código inspirado pelos Deuses, leis não-escritas, coletânea de ditados, sentenças dadas pelos oráculos, que fixam na consciência do juiz (no caso, o chefe da família) a conduta a manter todas as vezes que a ordem do *génos* está em jogo".

Filhas de *Thémis*, as *Hórai* ("Estações") são três: Eqüidade, Justiça e a viçosa Paz (v. 902). Os nomes das três estações põem em evidência quanto o pensamento arcaico apreende como uma Ordem única e unitária o que nós cindimos em distinções como ordem político social, ordem natural e ordem temporal. Uma crença profunda de Hesíodo era a de que as injustiças sociais acarretavam não só perturbações e danos às forças produtivas da Natureza mas também subvertiam a própria ordem temporal. As *Hórai*, portanto, nascidas de Zeus e *Thémis*, têm por função instaurar a boa distribuição dos bens sociais, as boas relações entre homens e a ordem que ritma as forças produtivas da Natureza. — As *Moîrai* (na tradução latina, as Parcas), "a quem mais deu honra o sábio Zeus" (v. 904), fixam aos homens mortais os seus lotes de bem e de mal. Enquanto filhas de Zeus e *Thémis*, as *Moîrai* representam a Fatalidade sob o aspecto positivo de configuração e ordenação dos destinos humanos segundo um peso e medida divinos; sob o aspecto negativo, essas *Moîrai* são filhas da Noite (vv. 217-9) e representam a sofrida experiência do restrito e inexorável lote de bem e de mal a que cada homem tem que se submeter como seu único destino.

As Hórai regram a Natureza, o tempo e as ações humanas integrando-os num todo uno e indiviso, que será harmonioso ou terrível segundo nele os homens concorram com ou sem o senso de justiça. As *Moîrai* regram o que de bem e de mal aos homens é dado viver, segundo uma medida divina pela qual a vida humana (feliz ou desventurada) encontra sua razão de ser e se integra na ordem maior de Zeus.

No seu terceiro casamento, Zeus desposa, como da primeira vez, uma Deusa de natureza aquática: a oceanina Eurínome, irmã de *Mêtis* (cf. v. 358) e cuja aparência desperta forte desejo amoroso (*polyératon eîdos ékhousa*, v. 908). *Eury-nóme* significa "Grande-Partilha" e esta oceanina unida a Zeus gera as Graças (*Khárites*), de cujo olhar esparge-se Eros solta-membros (vv. 910-1) — esse mesmo Eros que participa do séquito da emergente Afrodite (v. 201) e com esse mesmo epíteto com que é nomeado como Potestade integrante da Quádrupla Origem da Totalidade Cósmica (v. 120). — Esta oceanina Grande-Partilha, explicitada por suas filhas cuja beleza (como a dela própria) incute amor e desejo, revela nesta beleza afrodisíaca o lado gemelar e outro da Guerra (das Erínias, das ninfas Freixos e dos Gigantes combatentes, que nascem todos eles juntamente com Afrodite). Em seu âmbito e seus encantos aquáticos e afrodisíacos, a amorosa oceanina *Eurynóme* constitui, com a própria Guerra (este segundo momento da Grande-Partilha das *timaí*), o processo agonístico e cósmico da Grande-Partilha das honras. Fecundada agora pelo firme e seguro ser de Zeus, a Grande-Partilha gera as desejadas Graças.

No seu quarto casamento, Zeus desposa, como no segundo, uma Deusa de natureza terrestre: a multinutriz Deméter (v. 912), sua própria irmã. Se *Thémis* explicita a Terra sob o aspecto do inabalável e da firmeza incontestável, Deméter a explicita enquanto forças ctônicas fecundas e produtoras de alimento. Assim, a filha de Deméter, Perséfone, se associa a Hades, já que os mortos e a fecundidade subsolar pertencem ao mesmo reino. Os dons de Deméter, nutrientes da vida, provêm da escura Terra aonde descem os mortos e onde eles conservam e fazem circular e aflorar suas forças úberes. Por isso o Sapiente Zeus dá ao Hades a filha que tem com Deméter (v. 914).

No quinto e sexto casamentos, nos cônjuges de Zeus prepondera a natureza urânica. Com *Mnemosyne* (Memória) a lucidez e a sobranceria do Céu transparecem na natureza das nove filhas, as Musas elas mesmas. E com Leto, filha das uranidas Febe (*Phoíbe* = "Luminosa") e Coios (duplo de Crios, este pai de Astreu e avô dos Astros), a luminosidade e a sobranceria do Céu transparecem na ímpar beleza de Apolo e Ártemis, os mais invejáveis (ou desejáveis) dentre todos os que descendem do Céu (*himeróenta gónon perì pánton Ouraniónon*, v. 919).

Completando a constituição de seu reino, por último (*loisthotáten*, v. 921), Zeus desposa Hera, outra irmã sua, de quem nascem Juventude (*Hébe*), Ares e Ilitia. A Juventude e a Guerra estão, para os gregos, sempre vinculadas entre si, porque a imagem grega do guerreiro é sempre a do *koûros* (o jovem). E o Deus da Guerra, Ares, que traz os massacres, depredações e morte, se liga, — como neste verso 922, — à Deusa Ilitia, que preside aos partos: assim as gerações dos homens adolescem (Hebe), comprazem-se na guerra (Ares) e se renovam (llitia).

Com o reino de Zeus completo e firme, completa-se e firma-se a ordem da Totalidade Cósmica, que nele se centra. Ao instaurar-se e manter-se, o reinado de Zeus não implica a destruição e aniquilação dos reinos de Crono e do Céu, mas, ao contrário, delimita-os, define-lhes com maior precisão o âmbito, e, — de um certo modo e até um certo ponto, — engloba-os em si. Cada uma das três fases cósmicas delimita a precedente e engloba-a em parte. No reinado de Crono como no de Zeus, o Céu perdura com as mesmas funções que ele sempre teve e desempenhou: cobrir fecundantemente toda a Terra e ser para os Deuses venturosos o assento irresvalável de sempre (vv. 127-8). Acontece que Crono, ao afirmar a força do pensamento flexuoso, define-se tanto quanto a si mesmo também ao âmbito próprio das fecundantes forças urânicas, instauradoras e mantenedoras das formas terrestres e divinas da vida. No confronto em que Crono define sua própria *timé* (seu âmbito, sua natureza e valor), ele define também e fatalmente a *timé* daquele cujo modo de ser se confronta com seu modo de ser.

Tal como perdura o Céu, Crono de curvo pensar, — que se instaura pelo confronto e nas fronteiras com as úberes forças do Céu-Pai primordial, — também perdura para sempre com o seu curvo pensar e com sua proximidade das ubertosas forças primordiais: ele reina nessa época imperecível e além-mundana (i.e., além do reino de Zeus) na qual o solo espontaneamente produz generosas colheitas todo o ano, reina sobre homens que não conhecem a fadiga nem a velhice nem a morte, — num tempo opulento e carregado das urânicas forças instauradoras e mantenedoras da vida. Cada Deus vive num tempo cujas qualidades, como os mais próprios e exclusivos privilégios desse Deus (i.e., as suas *timaí*), manifestam-se como qualificações constitutivas desse Deus. Por isso, as três fases cósmicas permanecem, em suas múltiplas inter-relações, irredutíveis à cronologia linear pautada por nossa moderna concepção quantitativa e abstrata de tempo.

O reinado de Crono tem, por seu próprio ser e natureza, um âmbito restrito, que se curva em torno de si mesmo e assim se delimita. Não há em toda a *Teogonia* referência de que ele tenha exercido o poder fora do âmbito de seu *oîkos*, i.e., de sua mulher e filhos. O seu confronto com seu pai se dá através de um ardil (o que é próprio do seu modo de ser) mas não liberta a todos os seus irmãos, cuja condição carcerária em alguns casos não é alterada pela ação de Crono. É preciso que Zeus "os remeta das trevas subterrâneas para a luz livre" (cf. v. 669); eles aí permaneciam, no útero terrestre, desde que foram concebidos pelo florescente Céu (i.e., desde que o Céu aí "a todos ocultava e não os permitia virem à luz", v. 157). A soberania de Crono, portanto, permanece, desde que se instaurou, indiferente a tudo o que ultrapassa o seu restrito insulamento em si mesma: ele reina numa ilha, as ilhas dos Bem-Aventurados que desfrutam todos os benefícios de habitar o tempo forte das opulentas Proximidades das Origens.

O reinado de Zeus é o mandálico centro da totalidade cósmica porque ele é o único cujo centro se dá como a mais plena manifestação do espírito. Como sua filha primogênita Palas Atena, Zeus se caracteriza pela vontade centrada no espírito (*epí-phrona boulén*, v. 896); o que constitui a essência de suas ações é serem fundadas e centradas no espírito (*epi-phrosyneisin*, v. 658); as forças que por Zeus são combativas guiam-se por uma atenta percepção e pela vontade centrada no espírito (*ateneî te nóoi kaì epíphroni boulêi*, v. 661). — O *Metíeta Zeús* é a Sapiência que, semelhante ao rio Oceano, abarca a totalidade do que é. As armas de Zeus são o Clarão, o Trovão e o Raio, que ele libertou da abstrusa virtualidade em que jaziam no útero da Terra (*Gaîa kekeúthei*, v. 505; cf. *Gaíes en keuthmôni*, v. 158) e que são a mais pura e pujante expressão (e explicitação) da força do espírito (e do ser do Céu de que Zeus descende).

Tendo ele completado e coroado a Grande-Partilha das honras, o reinado de Zeus é a grande percepção (*mégas nóos*) que fixa cada Deus em seu âmbito, — i.e., que sobrevê a divisão da Opulência do Ser nessa Grande Partilha dos privilégios de valor e de poder que constituem o ser de cada Deus.

VII. MEMÓRIA E *MOÎRA*

Hesíodo retoma a narração do nascimento das Musas (vv. 53-67) no contexto do catálogo das esposas de Zeus (vv. 915-7). Memória é a quinta união de Zeus. Que significa esta união e o fato de ser a quinta?

Com *Mêtis*, o soberano do Olimpo incorpora a si uma Sapiência que lhe assegura o poder sobre o imprevisível, sobre todos os ardis que em todos os tempos e em todos os lugares se possam tramar, pois com *Mêtis* ele conhece o bem e o mal (v. 900) num domínio que, cambiante e instável, tem tanta afinidade com a natureza do Mar. — Com *Thémis*, o novo soberano gera a Ordenação interior de seu reinado, a Ordem em todos os aspectos nomeados pelos nomes de suas filhas *Hórai* e *Moîrai*, que dosam e regram a distribuição de bem e de mal (v. 906), pois com *Thémis* ele assegura ao seu poder um domínio imutável e estável, afim com a natureza fundamental da Terra. — Com *Eurynóme*, filha do Oceano, a Grande-Partilha configuradora da Totalidade Cósmica assume a forma que desperta muito desejo amoroso (v. 908): com a *Grande-Partilha* o soberano olímpio gera as Graças de esplender, de alegrar-se e da amorosa participação na opulência (cf. v. 909), estas Graças companheiras das Musas (v. 64) e cujo olhar infunde o Amor solta-membros (vv. 910-1). — Com Deméter, o novo soberano garante a circulação das forças entre o mundo subterrâneo dos mortos e o âmbito terrestre dos vivos e garante assim, no equilíbrio dessa imbricação entre vida e morte, a manutenção do hemisfério dos vivos: Deméter, alimentadora da vida, Senhora que é das forças ctônicas, gera Perséfone que reina sobre os mortos. — Com as quatro primeiras núpcias, portanto, o reinado de Zeus compõe-se com a estabilidade insubvertível dada pela Astúcia de *Mêtis*, com a Ordenação interior dada pela Lei de *Thémis*, com as Graças de esplender, alegrar-se e ser opulento, dadas pela *Grande-Partilha*, e com o equilíbrio entre as pulsações da vida e as latências da morte dado pela terrena e maternal Deméter.

No catálogo das esposas de Zeus, Memória está entre Deméter e Leto. Como Deméter, Memória assegura a circulação das forças entre o domínio do Invisível e o do Visível, já que Memória é que, em cada mo(vi)mento de cada ente, decide entre o ocultamento do Oblívio e a luz da Presença. Como Leto, mãe dos mais belos descendentes do Céu (v. 919), tem nos seus filhos a mais perfeita forma explicitadora da luminosidade e sobranceria do Céu ancestral, a uranida Memória tem na mais forte e reveladora luminosidade o domínio próprio de sua função.

Com sua quinta união, Zeus confere ao seu poder o domínio da luminosidade desveladora, a indeclinável permanência no âmbito da aparição, e assim o reinado de Zeus torna-se a vigência da mais vigorosa verdade (a mais vigorosa negação do Esquecimento em que se dá o Não-Ser), torna-se o poder esplender infatigavelmente. Como a mais vigorosa manifestação da Presença, o soberano cônjuge de Memória é a grande percepção que se deleita com a voz uníssona das Musas a dizerem os seres presentes, futuros e pretéritos (cf. vv. 36 7).

O poder de Zeus, centrado no espírito (*epí-phron*), dá-se como o gerador e o sujeito dessa grande percepção (*mégan nóon*) em que seu cônjuge Memória gera as Forças do Canto (= Musas) pelas quais os nomes-numes se fazem presentes como presenças configuradoras da totalidade do que se desvela e do que não se desvela.

Longe de se esgotar em sua acepção psicológica, Memória é uma Potência cósmica, que nasce da cópula do Céu e da Terra, esses Fundamentos inabaláveis dos Deuses e de Tudo, assim como deles é que nascem a Visão (*Théia*), a Fluência (*Rhéia*), a Luminosidade (*Phoíbe*) e a Instauradora-Nutriz (*Téthys*) (cf. vv. 135-6).

Memória, que mantém as ações e os seres na luz da Presença enquanto eles se dão como não-esquecimento (*a-létheia*), gera de Zeus Pai as Forças do Canto, cuja função é nomear-presentificar-gloriar tanto quanto a de deixar cair no Oblívio e assim ser encoberto pelo noturno Não-Ser tudo o que não reclama a luz da Presença. A audição deste Canto, que ao irromper quebra a Noite do Não-Ser (vv. 7-10), é o regozijo de Zeus (vv. 37 e 51), que, unido a Memória, o gera. Como o poder de Zeus que se estende de ponta a ponta no Universo, este Canto para o regozijo de Zeus não conhece os limites entre presente, futuro e passado, mas flui infatigável (*akámatos rhéei*, v. 39) e, cantando, nomeia-presentifica-gloria o próprio poder e reino de Zeus (cf. vv. 71-5). Sujeito da percepção deste Canto, Zeus é também o seu objeto. Genitor que funda as Forças deste Canto, Zeus tem o seu próprio ser e poder fundados pelo poder deste Canto.

A união de Zeus com Memória coloca certos problemas com que já deparamos antes: o da imanência recíproca entre linguagem e ser (que, como vimos nos caps. III e IV, não é senão a recíproca imanência entre linguagem e poder); o da imbricação do tempo na complexão de linguagem, ser e poder; o de uma concepção de tempo que se estrutura sobre a concomitância e simultaneidade sem quaisquer indícios da relação de causa e efeito; o de uma concepção segundo a qual o tempo sob o aspecto qualitativo se apresenta ricamente diversificado enquanto sob o aspecto quantitativo ele dificilmente se deixa apreender pelo rigor da medição, — uma concepção de tempo na qual, portanto, tendem a se desfazerem e a perderem o sentido as relações de anterioridade e de posterioridade.

O traço mais marcante do pensamento que organiza a *Teogonia* hesiódica é o da continuidade, de tal forma que nela cada questão parece implicar todas as outras questões, cada aspecto do ser parece implicar todos os outros aspectos, e a solução de cada problema pertinente à estrutura e à função desse pensamento parece implicar a solução de todos os outros problemas desse tipo. Isto porque essa continuidade pela qual esse pensamento se dirige e se organiza não é simples, linear e unidirecional, mas multidirecional, multívoca e complexa. A própria continuidade genealógica entre genitores e gerados não é simples e linear como uma mera relação de causa e efeito, de antecedente e conseqüente; porque a relação entre genitores e gerados não se dá fundamentalmente como uma referência unívoca de uns a outros, mas como uma imanência essencial da natureza de uns na natureza de outros: a natureza dos filhos está implicada e implícita na dos pais assim como a dos pais continua e se explicita na dos filhos. Sob certos aspectos os pais não são anteriores aos filhos, mas são em muitos casos determinados e marcados por eles ou por "pósteros", como se fossem todos "contemporâneos". Essa continuidade é uma tal contigüidade, que é como se todos esses múltiplos tempos diversamente qualificados devessem antes ser entendidos por nós como "contemporâneos", de preferência a serem entendidos como sucessivos — entendidos sim como tempos compostos de momentos imóveis, presenças permanentes em si mesmos, e não entendidos como sucessão, fluxo e escoamento.

Memória, filha da Terra e do Céu, está na raiz da natureza da Terra e do Céu, esses Fundamentos eternamente presentes em si mesmos, e está na raiz de todos os entes e eventos com os quais se configura a Totalidade Cósmica, já que esta totalidade se compõe de uma simultânea sucessão de momentos imóveis, um conjunto de séries a cruzarem-se de mo(vi)mentos de inextinguíveis esplendores, — esplendores que as trevas obliviais do Não-Ser não encobrem porque são o próprio ser divino, recolhidos por Memória e esplendentes ao serem nomeados pelos nomes-numes nascidos da Memória e de Zeus, as Musas.

Essa totalidade sendo presidida pelo Conflito, e a constituição de cada ser e cada Deus sendo decidida e delimitada pela Guerra, não é difícil compreendermos que cada ser divino *é* segundo a sua força de *ser* ou segundo lhe é dado ser pelo arbítrio soberano de Zeus, e inclusive Zeus *é* segundo a sua força de *ser*. Tudo se decidindo, se definindo e se fundando pela Guerra e por Zeus que se decide, se define e se funda em seu poder através da Guerra, todos os entes e eventos se impõem em seu âmbito por sua própria força de ser ou pela força máxima constituída por Zeus; tudo são forças vivas e divinas cuja harmonia que as compõe é a Guerra. Os Deuses dividem entre si a Opulência do Ser por uma medição de forças e assim definem os privilégios e atributos que os constituem; nessa decisiva e definitiva medição de forças a força de cada um é a causa de cada um ser o que é — e simultaneamente a causa de cada um dos outros ser o que cada um dos outros é. Assim, cada um é a causa de seu próprio evento — e simultaneamente a causa de todos os outros eventos que a ele estiverem ligados. Para cada ente ou evento não há outra causa senão ele mesmo — e, pelo fato de ele ser a única causa dele mesmo, ele também é causa de todos os outros entes e eventos ligados a ele, os quais entes ou eventos nada têm por causa senão a si próprios. E a relação entre os entes e os eventos é da ordem da concomitância, não a de causa e efeito.

Por exemplo, o poder e o ser de Zeus têm por causa a força de poder e de ser de Zeus — tanto quanto é causa do poder e do ser dos outros Deuses a ele ligados, os quais têm por causa a força que cada um deles tem de poder e ser. No entanto, o ser e o poder de Zeus têm por causa — além de si mesmos — outros seres e poderes concomitantes que são causas de si mesmos e que têm por causa o ser e o poder de Zeus.

A oceanina Estige, unida a Palas (híbrido descendente do Mar e do Céu), gerou os dois pares Zelo e Vitória, e Poder e Violência; por desígnios de seu pai Oceano (v. 398), ela decidiu (*eboúleuse*, v. 389) pôr esses quatro filhos na companhia de Zeus quando ele conclamava todos os imortais ao Olimpo para o combate contra os Titãs (vv. 390-3). E por ter sido Estige a primeira dos imortais a atender à conclamação (v. 397), "Zeus a honrou e lhe deu supremos dons: fez dela própria o grande juramento dos Deuses e seus filhos residirem para sempre com ele" (vv. 399-401).

Portanto, Estige é a "Deusa odiosa aos imortais, a terrível Estige" (vv. 775-6), "o grande flagelo para os Deuses" (v. 793), o "juramento", a "imperecível água ogígia que brota de abrupta região" (vv. 805-6) — 1) por causa de si mesma, que decidiu e pôde, primeira dentre todos, aliar-se a Zeus, — e 2) por causa de Zeus, que em sua magnanimidade quis dar-lhe "supremos dons". — Por outro lado, Zeus é Zeus detentor de Zelo e Vitória, Poder e Violência, — 1) porque Zeus é "o mais glorioso e o maior dos Deuses perenes" (v. 548), — e 2) porque "assim decidiu Estige, a imperecível Oceanina" (v. 389).

Mas os próprios Zelo e Vitória, os próprios Poder e Violência não constituiriam o tão alto e honrado privilégio que constituem se não os honrasse e os privilegiasse Zeus com o fato de mantê-los em sua companhia, onde quer que esteja e por onde quer que vá. Basta a mera leitura destes versos 383-403 para que se perceba claramente que esses quatro filhos de Estige são quem são por serem quem são e também por Zeus que os faz ser quem são; mas Zeus é quem é por ser quem é e também por esses quatro que o fazem ser quem é.

Nesta seção da *Teogonia* consagrada a Estige e seus filhos (vv. 383-403) evidencia-se com a maior nitidez de que modo a relação de concomitância coordena e vincula entre si os entes e eventos, sem que se possa encontrar neles quaisquer indícios da relação de causa e efeito. Não há causa única nem sequer causa preponderante, pois cada ser divino é *causa sui* mas não poderia ser ele próprio senão no grande concerto cósmico (o Canto que para o deleite de Zeus as Musas cantam) composto por ele próprio e por inúmeros outros seres divinos não só diferentes dele próprio mas ainda freqüentemente em diferença com ele próprio.

Cada Deus é simultaneamente *causa sui* e causa de tudo o que a ele se refira, mesmo quando nesse conjunto de entes e eventos que a ele se refere encontram-se outros Deuses que são, também cada um destes, *causa sui* e causa de tudo o que a cada um deles se refira. — Portanto, num universo cuja cosmologia pode ser narrada e só é narrada como uma teogonia, i.e., num universo constituído unicamente de forças divinas e cujas relações estruturais só se dão como inter-relações divinas, como con-vívio e com-bate de Deuses e famílias de Deuses entre si, — nesse universo constitucionalmente e exclusivamente divino, — todos os entes (i.e., Deuses) são, em todos os mo(vi)mentos e em todos os seus aspectos, sempre causas, nunca efeitos. Não é possível, portanto, falar-se de uma relação de causa e efeito: nesse universo o Ser se dá sempre, em cada caso, como *causa sui et omnium ceterorum* (*Deorum*). Cada Deus sendo, por sua definição essencial, causa de si mesmo e de tudo o mais que a ele se refira, nada nesse universo multidivino se deixa subsumir como efeito porque tudo nesse universo é sempre causa. Causa à qual corresponde nenhum efeito além de si mesma e de outras causas que são — tanto quanto ela — presenças absolutas e não causadas senão por si mesmas.

Neste caso, a palavra "causa" está sendo usada num sentido transposto; a palavra "causa" está sendo empregada como uma metáfora a que se recorre para se descrever a condição da múltipla presença divina. Uma "causa", cujo efeito é ela mesma e outros seres que são eles próprios causas de si mesmos, não pode ser considerada como "causa" senão por um uso metafórico (i.e., transposto e deslocado) da palavra "causa". E com este uso propositalmente deslocado desta palavra "causa" procuro estabelecer uma comparação entre nossa hodierna e habitual apreensão e compreensão dos entes e das coisas e a experiência grega arcaica na qual o Ser se manifesta como numinoso e na qual o universo não é senão um conjunto não-enumerável de Teofanias.

A concomitância como princípio de organização e inter-relação dos eventos mostra-se com particular nitidez no caso das relações entre Zeus, Estige e seus quatro filhos. A vitória e o poder de Zeus, o poder de Estige e o raro apanágio (o da constante companhia de Zeus) que honra os quatro filhos de Estige não poderiam ser senão em função uns dos outros.

Mas a vitória de Zeus na Titanomaquia não tem por causa preponderante o fato de Estige ter-se decidido alinhar seus filhos Zelo e Vitória, Poder e Violência nas falanges de Zeus. Zeus ele mesmo é *kydistos* (v. 548), i.e., o que detém o maior e mais forte *kydos*. Embora tradicionalmente traduzido, como se fosse sinônimo de *kléos*, por "glória", *kydos* é o signo momentâneo[1] com que um guerreiro é marcado por um Deus que o favorece, signo mágico da infalível supremacia no combate, e que é percebido, tão logo o Deus numa batalha o instaura sobre alguém, tanto por esse que é assim favorecido quanto por seu adversário e pelos demais que estão ao redor. A eficácia do *kydos* é momentânea, válida para esse instante de perigo em plena batalha no qual o Deus preserva e faz prevalecer como vitorioso um mortal a quem privilegia com sua preferência. O *kydos* de Zeus não é de eficácia temporária, porque Zeus é a

---

1) Cf. Benveniste, Émile. *Le vocabulaire des institutions indo-européennes.* Paris: Minuit, 1969, 2º vol., pp. 57 ss.

própria fonte de *kydos* e por Zeus ou por sua filha Atena é que esse signo talismânico de vitória é transmitido aos mortais. Zeus não detém um *kydos* que ele tenha recebido ou tenha arrebatado por seu esforço: Zeus é o próprio *kydos*, e suas preferências e suas intenções é que constituem para os mortais a origem e a fonte de *kydos*, sinal prodigioso e mágico que cerca de prodígios o guerreiro a quem assinala para a vitória. Esse poder talismânico, que um dia é concedido a um e outro dia a outro, tem sua permanente e inesgotável fonte no imutável *kydos* que é o caráter mesmo de Zeus *kydistos*. Como então não seria Zeus *kydistos* o vencedor na batalha contra os Titãs e contra seus demais inimigos?

No entanto, além de Zeus ser por si mesmo essencialmente assinalado para a Vitória na guerra, dado o seu caráter *kydistos*, concorrem também para essa Vitória e Poder de Zeus sobre os Titãs (e além de Vitória e Poder serem filhos de Estige e por decisão desta serem postos à disposição e ao lado de Zeus) os seguintes fatos:

1) a alertada previdência que é própria da natureza de Zeus e com a qual ele poderá superar a presciência e a alertada previdência da própria *Mêtis*, surpreendendo-a com palavras sedutoras e inesperada manobra, e engolindo-a, i.e., incorporando-a a si mesmo mediante esse ato pelo qual Zeus se revela ter mais *mêtis* (presciência, astúcia) que a própria *Mêtis* (= Presciência, Astúcia). (Cf. a sedução e assimilação de *Mêtis* por Zeus nos vv. 889-90 e 899-900.);

2) as advertências e indicações da Terra e do Céu que alertam Zeus quanto ao porvir: Terra aconselha o Cronida a libertar e tentar engajar em suas falanges os Centímanos Cotos, Briareu e Giges (vv. 626-9); Terra e Céu aconselham-no a incorporar a si a própria *Mêtis* para não se ver superado e dominado por um filho seu e dela (vv. 891-8); por esses conselhos é que Zeus — entre outras "causas" — conquista e conserva o Poder e a Vitória;

3) o auxílio dos Centímanos Cotos, Briareu e Giges, que Zeus não só liberta de suas cadeias subterrâneas mas ainda lhes oferece, com a finalidade de celebrar com eles um pacto e uma aliança de irrompível fidelidade, néctar e ambrosia, i.e., a condição divina. Os Centímanos, em retribuição a este benefício com que Zeus lhes outorga simultaneamente o acesso à luz livre do Céu e à imortalidade dada pelos alimentos divinos (vv. 639-41), desdobram suas forças na batalha contra os Titãs (vv. 669-75) e cobrem-nos com os golpes dos projéteis arremessados por seus

três vezes trezentos braços (vv. 713-7), e assim — entre outras "causas" — asseguram a Zeus a conquista do Poder e da Vitória;

4) o auxilio dos Ciclopes Raio, Trovão e Relâmpago, a quem Zeus libertou de aniquilantes prisões subterrâneas (*oloôn hypò desmôn*, v. 501), e que, "lembrados dessa graça benéfica" (v. 503), deram-lhe o Trovão, o Raio e o Relâmpago (vv. 504-5), essas armas com as quais Zeus se faz forte e pode reinar (v. 506) e as quais a Terra prodigiosa escondia em seu críptico seio até que Zeus as descobrisse e libertasse (v. 505). Deste modo, os Ciclopes Raio, Trovão e Relâmpago, — cujos nomes os revelam como sendo não só os fabricantes e forjadores das armas de soberania de Zeus, mas ainda essas armas mesmas, trovão, relâmpago e raio, — são artífices da Vitória de Zeus, já que é com o recurso a esses instrumentos de triunfo que Zeus assegura sua Vitória sobre os Titãs (vv. 687-721) e sobre Tifeu (vv. 853-68).

As armas de Zeus são tanto atributos do Ser de Zeus quanto são também atributos do Ser de Zeus determinadas faculdades e qualificações "mentais" e "psíquicas" de Zeus — e, no entanto, tanto essas armas quanto essas "faculdades mentais" são, além de atributos constitutivos da natureza mesma de Zeus, Divindades com esfera de existência e de atribuições própria. Assim, os Ciclopes Raio, Relâmpago e Trovão são divindades com uma esfera de existência e de atribuições e de tribulações própria — ao mesmo tempo que são também "armas", i.é., atributos da natureza de Zeus. Assim, a oceanina *Mêtis* é tanto um âmbito de existência e de essência próprio a ela quanto é afinal uma qualificação ou faculdade que o espírito de Zeus tem no mais alto grau, que em lugar nenhum existe e vige mais plenamente e mais eficazmente que no próprio espírito de Zeus.

Se para a Vitória de Zeus concorrem todas essas causas (as quatro que acabamos de enumerar mais as duas antes enumeradas, a saber, a decisão de Estige e o caráter *kydistos* de Zeus), ocorre que essas causas concorrentes (i.e., concomitantes) não são mais exteriores e alheias à essência mesma de Zeus que o próprio Zeus em sua mesma essência; não são exteriores e alheias e no entanto são outras Divindades que não o próprio Zeus em sua mesma essência. — Na verdade, o pensamento mítico, servindo-se de figuras não-conceituais, de imagens concretas e de ideações plásticas, servindo-se de *relatos* e de *fábulas* (i.é., disto em que se constituem propriamente os *mythoi* e os *hieroì lógoi*, os "mitos" e os "relatos sagrados"), coloca em seus próprios termos (i.e., em termos *míticos*) o problema da relação entre a Alteridade e a Ipseidade: Zeus é ele-Mesmo e é o Outro; o Outro é tanto Outro quanto é o Mesmo.

Já havíamos nos referido anteriormente à importância fulcral e ao vigor que tem na organização do pensamento arcaico a *coincidentia oppositorum*. Evidencia-se agora que a concomitância como forma de relação entre os eventos (a qual exclui e substitui a relação de causa e efeito) implica o problema da relação entre Alteridade e Ipseidade: é o fato de a Alteridade e a Ipseidade darem-se tanto como *coincidência* quanto como *diferença* que torna possível a relação de concomitância entre os entes e eventos excluir e substituir a relação de causa e efeito.

A Alteridade coincide com a Ipseidade tanto quanto dela *difere*: o Outro é o Mesmo (coincide com o Mesmo) tanto quanto é — na referência ao Mesmo — o Outro (difere de si Mesmo). Zeus é os ciclopes e os ciclopes são atributos da essência de Zeus tanto quanto os ciclopes são os ciclopes (e não Zeus) e Zeus é Zeus (e não os ciclopes). Igualmente, *Mêtis* é uma faculdade do espírito de Zeus e Zeus tem incorporada a seu espírito essa faculdade nomeada *Mêtis* tanto quanto *Mêtis* é *Mêtis* com uma existência e uma história outras que não são nem a existência nem a história de Zeus.

A *coincidentia oppositorum* da Alteridade e da Ipseidade, pela qual ambos esses termos coincidem tanto quanto e ao mesmo tempo que diferem entre si, é a condição que possibilita a relação de concomitância entre os entes e eventos, uma concomitância onto-cronológica (i.e., tanto temporal quanto ontogenética) que substitui a relação de causa e efeito. A imbricação do tempo na complexão de linguagem-ser-e-poder revela agora, na condição mesma pela qual essa imbricação se dá, o aspecto enantiológico que assume a manifestação do Ser para o pensamento da Época Arcaica.

Não se pode, no entanto, deixar de observar que a coincidência-diferença entre Alteridade e Ipseidade se funda (sob certos aspectos) nessa noção fundamental de *génos* com a qual se funda e se estrutura a *Teogonia* mesma enquanto *Teogonia*, i.e., enquanto uma estrutura narrativo-descritiva, enquanto uma canção estruturada e uma estruturada visão de mundo. A possibilidade de o indivíduo ser ele Mesmo tanto quanto Outro-que-não-ele só se dá enquanto o Ser desse indivíduo é não uma natureza *pessoal* (i.e., de uma *pessoa*) mas uma natureza *familial* (i.e., de um *génos*), enquanto esse indivíduo é não a expressão única, peculiar e insubstituível de seu próprio ser, mas a expressão em que momentaneamente se manifesta o ser do Fundamento-Genitor, i.e., a natureza Fundamental do *génos*.

Que significa *génos*? Essa palavra é freqüentemente traduzida por "raça", ou por "estirpe" ou por "família", mas nenhuma dessas traduções, embora estritamente corretas, dá conta de todo o significado de *génos* — justamente por serem restritas, pois é isso e muito mais além disso. A palavra *génos* se liga etimológica e semanticamente ao verbo *gígnomai*, que diz "nascer" e também "tornar-se" ou "devir", portanto em *génos* há a idéia de nascer e de tornar-se conforme as determinações de nascimento; mas o substantivo *génos* designa um grupo de indivíduos ligados entre si por laços de nascimento e pela comunhão de uma natureza dada por nascimento, natureza essa que os constitui mais decisivamente que qualquer outro fator. Do ponto de vista do *génos*, o indivíduo se define e vale sobretudo pelo seu nascimento, que lhe constitui a natureza, e esse indivíduo não é senão uma expressão momentânea dessa natureza: todas as ações, decisões, falhas e êxitos do indivíduo têm fonte não na individualidade dele mas nessa natureza supra individual que caracteriza o *génos*.

Assim, do ponto de vista do *génos*, em Zeus, nos ciclopes e em *Mêtis* (para ficarmos só com os exemplos focalizados acima) exprime-se uma mesma natureza, um mesmo Ser: eles são descendentes do Céu e da Terra, e, portanto, têm uma natureza comum que os constitui fundamentalmente e na qual todos eles coincidem, embora possam enquanto individualidades e sob outros aspectos diferir.

As três linhagens, que estruturam a *Teogonia* hesiódica, estruturam-se por sua vez em sublinhagens, i.e., as três grandes "famílias" se estruturam em grupos familiares menores. Ora, esses grupos menores compartilham a natureza comum da grande família em que comungam a origem, e desses grupos menores cada grupo tem por sua vez uma natureza própria e peculiar, a qual se inscreve fundamentalmente na natureza comum supragrupal e que por seu turno circunscreve e determina supra-individualmente as ações e caracteres dos indivíduos circunscritos por esse grupo. É na vigência do *génos* como fator de estruturação cosmo-teo-gônica (tal como, noutro plano, é eixo da organização social) que vigora a lei básica da *Teogonia* hesiódica segundo a qual *a descendência é sempre uma explicitação da natureza dos genitores*.

No entanto, esse *Grande Cosmo* vivente e divino como um único tecido composto de células que são as teofanias,— esse *Grande Cosmo* centra-se em múltiplos centros: cada um dos Deuses-unidades que o constituem é em si mesmo essencialmente um centro de convergência de honras, veneranda fonte de poderes e de forças que infunde não só o sentimento de respeito ao homem, mas também um sentido absoluto (i.e., uma significação não condicionada nem gerada senão por si mesma), pois cada Deus, como plenitude e sentido absolutos, irrompe dramaticamente e comunica à vida humana uma plenitude de sentido — benéfica ou terrível — que traz assombro e a experiência do sublime e do horror.

Todos esses múltiplos centros em que o *Grande Cosmo* se centra, centros absolutos não condicionados nem gerados senão por si mesmos (dada a coincidência em que a Ipseidade deles coincide com a Ipseidade de seu(s) genitor(es)), encontram-se sob a jurisdição da *Moîra* que os constitui.

A *Moîra*, i.e., o lote ou o quinhão partilhado, é esse limite ôntico pelo qual a essência mesma de cada Deus se delimita e se configura como tal. A *Moîra*, portanto, está acima de cada Deus-centro ao mesmo tempo que é esse próprio Deus-centro. E enquanto a *Moîra* está acima de cada Deus-centro ela se identifica com a vontade de Zeus, já que é a vontade de Zeus que determinou (ou determina: aqui cessa toda compartimentação do tempo em presente, passado e futuro) a *Grande Partilha* e, nessa *Grande Partilha*, a constituição de cada parte, i.e., Zeus determinou (determina) o Grande *Dasmós* (vv. 73-4, 112 e 885) e, no Grande *Dasmós*, a constituição de cada *moîra*. (E além de árbitro do Grande *Dasmós*, Zeus é o cônjuge de *Eury-nóme*, a Grande-Partilha, e é cônjuge de *Thémis*, com a qual procria as *Moîrai*, as partes ou lotes.)

Não adianta estabelecermos aqui uma sistematização e classificação conceituais dos vários sentidos com os quais a palavra *Moîra* vigorou entre os gregos na Época Arcaica, porque na Época Arcaica em que todos esses sentidos vigoraram eles não se deixaram, em seu vigor, nem se sistematizar nem se classificar conceitualmente, e essa sistematização e classificação não vão nos auxiliar a compreender o vigor em que a *Moîra* pôde viger e configurar um Mundo Divino.

Hesíodo põe as *Moîrai* simultaneamente em duas linhagens diferentes que, por suas naturezas e modos de procriação diversos, em nada se tocam, em nenhum momento se miscigenam: as *Moîrai* são filhas da Noite cissiparidas (vv. 217-9) e são filhas da união de Zeus e *Thémis* (vv. 904-6). Com essa origem dupla e antinômica, as *Moîrai* são o limite positivo, constitutivo e configurativo de cada ser divino ou humano e — e por isso mesmo — são o limite negativo, coercitivo e cancelante: elas *afirmam* tudo o que um ser é e pode ser e *negam* tudo o que ele não é e não pode ser. A afirmação do que é e pode ser é já em si mesma a negação do que não é nem pode ser. A dupla filiação das *Moîrai* indica, nos termos próprios do pensamento mítico, que toda afirmação implica a negação (*omnis affirmatio est negatio*).

A *Moîra*, que constitui cada ser divino ou humano e com ele coincide enquanto é esse lote de opulência e de valor partilhado (*áphenos kaì timás*, cf. v. 112), exprime-se em cada ser divino ou humano como a sua mais autêntica e própria expressão. No entanto, a *Moîra*, enquanto é para cada ser o seu próprio ser, constitui para cada Ser todas as coerções e imposições que se pode padecer e sentir como vindas disso que não se é mais por si próprio; e a *Moîra* é, para cada ser, tudo o que provém de seu além-ser, tudo o que lhe é exterior e Outro.

Na *Moîra* (i.e., nesse lote, nesse horizonte individual particular que se de-limita à parte da Totalidade Cósmica), afirmação e negação, liberdade e necessidade, espontaneidade e coerção, ipseidade e alteridade coincidem e são ao mesmo tempo no mesmo lugar sob o mesmo aspecto *uma e mesma* (*mía kaì he auté*, segundo o vocabulário que, no século seguinte a Hesíodo, Heráclito elabora para expressar no novo discurso inaugurado pela *pólis* e pelo uso do alfabeto uma das intuições fundamentais da sensibilidade religiosa grega).

Não há um vínculo genealógico direto entre Memória e as *Moîrai*. Enquanto filhas de Zeus e *Thémis*, as *Moîrai* são sobrinhas (e num certo momento enteadas) de Memória. Enquanto filhas da Noite, as *Moîrai* são um pólo oposto de Memória, pertencentes à raça da Negação-de-Ser.

Assim como as Musas nascem de Memória e Zeus para serem o Canto ontofânico mas também o meôntico Oblívio (v. 55), as *Moîrai* de dúplice e antinômica origem têm, também, a mesma relação ambígua com a Memória.

As Musas trazem à luz e presentificam o que é, recolhendo-o por força de Memória e redimindo-o das trevas obliviais do Não-Ser — mas as Musas também presidem ao Esquecimento e impõem-no, *quando assim querem* (*eut' ethélomen*, v. 28). As *Moîrai* definem e circunscrevem o ser (i.e., o nascimento-natureza) de cada Deus e por isso mesmo impõem a cada Deus que ele *não seja* o que ele *não é* e *não pode ser*. Há, portanto, um paralelismo entre a função das Musas e a das *Moîrai*.

A ação das Musas na manutenção do ser de cada ser se dá na ordem da temporalidade e da antologia. A ação das *Moîrai* na manutenção do ser de cada ser se dá na ordem da espacialidade e da antologia.

Mas temporalidade e espacialidade não têm, na *Teogonia*, de modo algum o caráter quantitativo com o qual hoje entendemos essas categorias: elas aí são qualitativas e, se não exclusivamente qualitativas, são precipuamente qualitativas. O espaço e o tempo são sempre e sobretudo qualificados e instaurados pelo nascimento-natureza do Deus cuja epifania os instaura. Tempo e espaço na *Teogonia* são antes adjetivos que substantivos.

Moîra e *Musas* presidem igualmente a função de Memória. Esta Deusa, cujo ser (= nascimento-natureza) explicita o Ser-Fundamento da Terra-Mãe e do Céu luminoso e fecundador, não é uma Memória individual que deva conservar (e servir a) vicissitudes e singularidades factuais restritas à história de um indivíduo, — é sim uma Memória cosmo-gônica, é uma Divindade cujo ser é dado por esse mesmo mo(vi)mento da ordem ao Mundo (o *momentum* cosmogônico). Assim também, *Moîra* é o princípio individuante, mas só o é na medida em que é um princípio mundificante.

Pela função de *Moîra*, o ser individual só se constitui com o constituir-se do ser mundial: nenhum indivíduo é o que é sem que simultaneamente todos os *kósmoi* da Totalidade Cósmica estejam constituídos como tal. Por isso, o indivíduo nunca é ele mesmo num restrito insulamento, mas todo indivíduo se constitui numa manifestação divina por força e função das potências cosmogônicas e cosmofânicas: *Moîrai* e Musas, Zeus e Memória, Terra e Céu ladeados por *Kháos* e *Eros*.

VIII. A TEMPORALIDADE DA PRESENÇA ABSOLUTA

As Musas, múltipla força numinosa do Cantar, mantêm o monte Hélicon grande e divino enquanto o têm como sua morada e no vigor da nomeação que é o Cantar (v. 2). As Musas magicamente mantêm constante o fluxo da fonte do Cavalo, e mantêm perene o altar de Zeus, através da dança circular em que os cantam e desse poderoso canto que dançam ao redor da fonte e do altar do muitíssimo forte Zeus (vv. 3-4). A voz e os sons de dança das Musas (enquanto elas ainda estão invisíveis no fundo da Noite que a tudo encobre e oculta com muita névoa) (v. 9) quebram o silêncio da Noite meôntica com o polifônico canto em que (res-)surgem os nomes-numes constituidores das três fases cósmicas, i.e., da totalidade do Ser (vv. 11-21). No entanto, embora as Musas enquanto forças ontofânicas do Cantar constituam o próprio Fundamento da ontofania, elas têm — como qualquer outro ente que nelas tenha seu Fundamento ontofânico — progenitores e particulares circunstâncias e lugar de nascimento. Elas são o Fundamento de tudo e de si mesmas e no entanto nasceram na Piéria, geradas por Memória e Zeus.

O fato de terem nascido na Piéria e serem um determinado e situado elo no inúmero encadeamento genealógico que elas próprias cantam (i.e., fundam) constitui um círculo em que nosso pensamento parece ficar insoluvelmente preso e, assim preso, incapaz de compreender essa circularidade temporal em que os subseqüentes geram os antecedentes e as filhas dão fundamento e ser a seus pais.

Apesar de geradas por Zeus *após* sua vitória sobre seus inimigos e *após* a Grande Partilha das honras que ele preside, as Musas *cantam* (i.e., fundam) o seu reinado urânico (*hò d'ouranôi embasileúei*, v. 71), sua vitória sobre Crono (v. 73) e sua fixação das honras (*epéphrade timás*, v. 74). Ora, o Cantar das Musas coincide com *alethéa* (v. 28), i.e., com a Aparição pela qual o Ser se nega a Não-Ser; o Cantar das Musas é *alethéa*, os próprios seres em sua manifestação existentiva, e são as Musas que os mantêm nessa manifestação (*a-létheia*) pela qual o oblivial Não-Ser é negado. Portanto, como é possível que as Musas tenham sido geradas *por* Zeus e *após* a Vitória deste cantada por elas?

As Musas cantam *isso* que cantam (*tauta*, v. 75) *tendo o palácio Olímpio* (v. 75), e *ter, ékhein,* em grego significa *manter* (cf. lat. *habere, habitare*). As Musas cantam *isso,* no exercício mesmo de manterem o ser das moradas em que cantam, as moradas olímpias (*Olympia dómat' ékhousai,* v. 75); e cantando deleitam a grande Percepção de Zeus dentro do Olimpo (v. 51), deleitam o Percepiente que é justamente quem e para quem elas cantam. (O Ser de Zeus consiste em Perceber o Cantar Que ele e Memória geram e Que lhes dá Ser.)

Se o Cantar é e coincide com o próprio Ser, e se o Cantar é que *tem* as moradas olímpias como *tem* também a Tudo o que será e é e já foi, — como é possível que não haja uma coincidência temporal entre o mo(vi)mento do Cantar (i.e., das Musas) e o mo(vi)mento do que o Cantar apresenta (i.e., presentifica)? Ou, em outras palavras: como podem as Musas terem nascido na Piéria geradas por Zeus e serem a Força ontofânica pela qual não só Zeus mas também a Totalidade Cósmica se dão como Zeus e como Totalidade Cósmica?

As Musas não nascem *antes* nem *depois* de Zeus nem sequer *simultaneamente* com Zeus. Para que se desse uma dessas três possibilidades seria necessário que houvesse um tempo absoluto, preexistente por si mesmo, cujo decurso homogêneo e incondicionado fosse pontilhado por acontecimentos que não pudessem afetá-lo, quaisquer que fossem as naturezas desses acontecimentos. Somente esse tempo absoluto e preexistente poderia estabelecer entre o nascimento das Musas e o de Zeus uma relação de anterioridade, posterioridade ou simultaneidade; mas essa noção de tempo como pura extensão e quantificabilidade absolutas é uma representação elaborada por *nossa* cultura moderna e *exclusivamente* nossa, não há isso em Hesíodo nem em nenhuma parte a não ser em *nossas* convicções culturais.

Em verdade, o mo(vi)mento do Cantar (das Musas) é analogicamente o mo(vi)mento mesmo do que o Cantar presentifica, já que o Cantar é Ser. As Musas nascidas na Piéria não vêm à luz de um tempo preexistente a elas e indiferente à existência ou inexistência delas, pois não há, para Hesíodo e sua época, essa preexistência incondicional do tempo. Assim como cantar é a função pela qual as Musas se dão como Musas, já que Musa é essa força divina que canta em cada cantar, — o tempo em que as Musas nascem, nasce como a temporalidade própria das Musas e, além deste tempo qualificado e originado pelo nascimento-natureza das próprias Musas, não há para elas nenhum outro tempo a que a Presença absoluta dessas Deusas possa ser referida.

A Presença numinosa por excelência só se refere a Si Mesma, e, ao dar-Se como Presença o Deus, sua Presença impõe-Se e impõe, como única remissão e referência possível ante sua Presença, a remissão e referência a Si Mesma.

O tempo em que Zeus nasce e vive e reina não é senão a temporalidade própria do nascimento-natureza de Zeus e portanto não pode preexistir nem ultra-existir ao nascimento-natureza de Zeus.

E assim é, na *Teogonia* hesiódica, para cada Deus e cada evento numinoso; e, verdadeiramente, — segundo a cosmovisão que nessa obra se documenta, tudo é numinoso, o Universo são múltiplas e inumeráveis manifestações do Divino. Pouco mais de um século depois de Hesíodo, Tales de Mileto, segundo informação que nos transmite Aécio[1], afirmava: *tò dè pân émpsykhon háma kaì daimónon plêres*, "tudo é animado e plenamente numinoso".

O tempo como pura extensão e quantificabilidade é uma representação elaborada por *nossa* cultura moderna e *exclusivamente* nossa, não há isso em Hesíodo nem ela é comum a outras civilizações. É difícil para nós sequer *pensar* essa concepção de tempo como mero traço cultural, pois o *histórico* sem dúvida representa para nós modernos uma *realidade última* que não só é o objeto constitutivo das Ciências Históricas como ainda confere inteligibilidade a nossas vidas; através de uma participação no mo(vi)mento histórico (no chamado "momento histórico") é que, num universo cultural inteiramente não-sagrado e neutro, nossas vidas ganham ou podem ganhar sentido. Em suma, para *pensarmos* o tempo *puramente* extenso e quantificável como mero traço cultural é preciso que, por um breve momento que seja, nos despojemos de crenças religiosas (i.e., concernentes ao significado final da totalidade de *nossa* vida e do Mundo) tão profundamente arraigadas em nós que nem sequer podemos usualmente percebê-las como *crenças* (i.e., opiniões inverificáveis, aceitas por um ato de fé subjetivo) e muito menos ver nessas crenças qualquer vínculo de identidade com o que consideramos *religioso* em outras culturas ou em nosso próprio passado cultural (já que atualmente nossa visão do mundo se pretende rigorosamente não-religiosa na mesma medida em que se diz científica).

---

1) Kirk, G.S. e Raven, J.E. *Los filósofos presocráticos. Historia crítica con selección de textos.* Trad. esp. Jesús García Fernández, Madrid: Gredos, 1974, p. 141.

Nos vv. 116-7, que dizem: "Sim bem primeiro nasceu Caos depois também / Terra de amplo seio", que significa este "bem primeiro" (*prótista*) e "depois" (*épeita*), se não tem o valor de uma marcação cronológica a estabelecer uma relação de anterioridade (superlativamente definida) e de posterioridade? — Vimos já, na análise que fizemos do significado da palavra *Kháos* e de sua função nas origens mundificantes, que estas fórmulas temporais *prótista* e *épeita* são um recurso entre outros de que Hesíodo se serve para indicar a prioridade meôntica (do Não-Ser, que se exprime na imagem mítica do *Kháos* e do Tártaro) na constituição ôntica (de cada ente em que se explicita o Ser-Fundamento da Terra, Assento irresvalável de tudo).

"Bem primeiro" e "depois", ainda que sejam fórmulas temporais, não têm nesses versos implicações de ordem cronológica. Fórmulas temporais, elas constituem um dos recursos para se mostrar que *Kháos* (imagem mítica da Negação-de-Ser e do limite-contorno anti-ôntico que circunda e configura todo ser) tem uma envergadura e um peso mais decisivos na constituição de cada ser (de cada indivíduo) do que o Ser-Fundamento da Terra e *Éros*. (*Éros*: força cosmogônica e filogenética de procriação dos seres vivos, i.e., da vida.)

As implicações temporais desses vv. 116-122, que desvelam as origens primeiras do Mundo, não se encontram nestes vocábulos *prótista* e *épeita*, mas sim no fato de a nomeação da Terra implicar a nomeação de todos (*pánton*, v. 117) os imortais (*athanáton*, v. 118) e do sagrado cume nivoso do Olimpo (v. 118). E também no fato de a nomeação de Eros implicar a nomeação de todos os Deuses e de todos os homens (v. 121) evocados nas vicissitudes e tribulações de seus desígnios, e suas mentes se dobrarem à força e fascínio de Eros acasalador e multiplicador da vida.

O Deus (na ocorrência Terra e Eros) está, desde o momento em que está e é em Si Mesmo, simultaneamente presente em todos os momentos de sua existência e em todas as suas manifestações. O Deus não se manifesta antes aqui e depois lá, mas ele é sempre o Deus sempre presente em Si Mesmo, e suas manifestações são áreas de existência que desde sempre se encontram entre seus atributos. Tempo e espaço não são extensões e quantificabilidades preexistentes em si mesmas e que o Deus viesse a ocupar ao ser o Deus que é, — mas tempo e espaço só se dão enquanto atributos deste ou daquele Deus (e não há senão Deuses: cosmogonia é teogonia), atributos decorrentes das (e marcados pelas) qualidades próprias do âmbito de existência deste ou daquele Deus.

Por isso, ao nomear Terra e Eros, o poeta *tem que* nomear o Olimpo, os Deuses imortais e os homens, todos subjugados pela vocação de Amor (Eros), — *tem que* nomeá-los como atributos que são da Terra e de Eros, e porque, ao existir Terra e Eros, existem, também já e pela existência mesma de Terra e Eros, os Deuses imortais, homens e o Olimpo, que são os mais *marcantes* atributos de Terra-Mãe, assim como a força de subjugar a todos os imortais e mortais é o mais marcante atributo de *Éros lysimelés* (Amor solta-membros).

Quanto ao espaço como um atributo decorrente das (e marcado pelas) qualidades próprias (da Presença) do Deus, eis um exemplo simples: Piéria é nome da região onde nascem as Musas, está ao norte do Olimpo, situada entre esse monte numinoso e o rio Haliácmon (rio esse que é filho de Oceano e *Téthys*, a Nutriz, cf. v. 341). Ser o lugar natal das Musas é o que antes de tudo define Piéria como lugar: — um lugar sagrado, que *é* por aí ter-se dado o nascimento das Deusas. Não se trata de um espaço neutro em que pode dar-se indiferentemente este ou aquele fato, pois aí é um lugar numinoso, nele nascem as Musas. Neste sentido, Piéria não seria concebível se aí não se tivesse dado o nascimento das Musas, como não é concebível o não-nascimento das Musas, já que as Musas são as Musas. Porque aí nascem as Musas é que Piéria e Piéria, e não Piéria é Piéria e, entre outros fatos sem tanta importância, as Musas, aí nascem. O nascimento-natureza das Musas é que instaura e inaugura a Piéria sagrada pelas Musas. Do mesmo modo, Olimpo é a morada de Zeus e seus filhos. Sem Zeus o Olimpo não poderia ser o monte Olimpo.

A primeira interferência que se menciona de Zeus na seqüência expositiva das genealogias é no episódio de Estige e seus filhos (vv. 383-403). Estige, filha de Oceano como Zeus o é de Crono, é da mesma "geração" divina que Zeus, no sentido de que ambos são entre si primos de primeiro grau e distam igualmente duas gerações do par primordial Céu-Terra.

> *"Assim decidiu Estige imperecível Oceanina*
> *"no dia em que o Olímpio relampeante a todos*
> *"os imortais conclamou ao alto Olimpo*
> *"e disse quem dos Deuses combatesse com ele os Titãs*
> *"ele não o privaria dos prêmios e cada honra*
> *"manteria como antes entre os Deuses imortais,*
> *"e que o não-honrado sob Crono e sem-prêmios*
> *"honra e prêmio alcançaria, como é justiça."*
>
> (vv. 389-396)

Nesse dia, Estige, aconselhada por Oceano, foi a primeira a apresentar-se ante Zeus, alinhando seus quatro filhos, Zelo, Vitória, Poder e Violência nas hostes de Zeus. Em retribuição,

> *"honrou-a Zeus e supremos dons lhe deu:*
> *"fez dela própria o grande juramento dos Deuses*
> *"e seus filhos para sempre residirem com ele.*
> *"Assim para todos inteiramente como prometeu*
> *"cumpriu, ele próprio tem grande poder e reina".*

(vv. 399-403)

Já analisamos essa passagem em outro capítulo, a propósito do princípio de concomitância não-causal que organiza os acontecimentos na teogonia hesiódica. Importa aqui ressaltar alguns aspectos e implicações do cumprimento por Zeus do que ele prometeu nessa conclamação.

Zeus não poderia deixar de cumprir, sem que deixasse de ser Zeus, sua promessa a todos os demais Deuses (além de Estige), — pois, para ele, dispensar aos aliados as honras (*timaí*) prometidas não é senão impor ao Universo a *sua* nova Ordenação, a *sua* nova Partilha (a *Moîra* que vem de Zeus). Se Zeus não tivesse cumprido para todos inteiramente como prometeu, ele não teria grande poder nem reinaria, pois seu grande poder e seu reinado consistem justamente em ele ter podido cumprir o que prometera, i.e., impor à constituição da Totalidade Cósmica a sua Ordem e a sua Justiça, levando a cabo segundo o seu arbítrio a Grande Partilha.

Mas para que Zeus pudesse atribuir, segundo sua justiça (*thémis* v. 396), honra e prêmio (*timês kaì geráon*, v. 396) aos que sob Crono se encontram (então e sempre) "não-honrados" e "sem-prêmios" (*átimos... ed' agératos*, v. 395), seria necessário que o poder de Zeus fosse contemporâneo da constituição (i.e., nascimento) deste e daquele Deus que se constituem em sua *timé* (i.e., honra, privilégios, âmbito e ser) a partir das outorgas das *timaí* por Zeus. — Assim é, efetivamente, no caso de Estige, que lhe é da mesma "geração" (i.e., estão sincronizados numa contagem de gerações a partir da Terra-Fundamento). Mas não é assim, não há uma "sincronização" desse tipo, no caso dos Centímanos, dos Ciclopes, de Hécate, de Crono e de outros Deuses. Ou seja: Zeus tem poderes sobre a constituição (i.e., nascimento-natureza) de Deuses "anteriores" à constituição do próprio Zeus e de seus poderes.

Isto demonstra que não é possível pensarmos a *Teogonia* segundo a representação de uma temporalidade sucessiva, organizada pelas relações de anterioridade e posterioridade, seja ela do tipo linear escoativo-irreversível (como no Cristianismo, por exemplo) ou do tipo circular repetitivo-reversível (como na Escola Pitagórica ou em Empédocles, por exemplo). Pensar a *Teogonia* segundo essas representações do tempo estranhas a ela é reduzi-la ao absurdo, e, efetivamente, modernos intérpretes e editores de Hesíodo se fatigam no afã de discutir a "autenticidade" hesiódica de certos versos, pelo *único* motivo de que esses versos lhes parecem "contraditórios". Não é que o sejam, mas é que estão sendo lidos e (des-)entendidos pela óptica de concepções estranhas a eles e que os deforma. Exemplo disso são os versos 450-3 e 465, que comentaremos a seguir.

Dentro do contexto do Sagrado na *Teogonia*, anterioridade e posteridade não são noções rigorosamente excludentes uma de outra. E aqui não se trata de uma coincidência de contrários (*coincidentia oppositorum*) mas sim de uma percepção e concepção do tempo tal que essas duas noções nem contrárias são entre si (aliás, nem *são*).

Cada Deus nasce e é num tempo que só tem origem e ser na origem e ser desse Deus que o instaura ao instaurar-se em seu ser. Não há um tempo único e uniforme, duração homogênea e infinita, comum a todos os Deuses e preexistente a eles; há tempos múltiplos e qualificados diversamente segundo o nascimento — natureza do Deus que o instaura. O tempo em que cada Deus vive faz parte dos atributos e atribuições desse Deus, exclusivo dele tal como quaisquer outros de seus privilégios. O tempo em que cada Deus vive restringe-se ao âmbito de existência desse Deus, não é anterior a ele nem ultrapassa as fronteiras às quais o ser e privilégios desse Deus se circunscreve. É um tempo qualificado e con-creto, i.e., nascido com esse Deus de cujo Ser ele depende e decorre. Não há um antes ou depois que inter-relacione as Divindades e as hierarquize segundo uma ordenação temporal, porque não há um tempo único que as transcenda e possa assim reuni-las.

Cada Deus, como Presença absoluta que é, instaura sua própria ordem temporal. E cada uma dessas ordens temporais, como o próprio âmbito de cada Deus, encontra suas determinações e configura-se na Grande Conflagração na qual Zeus se faz o Supremo Soberano e seus inimigos tornam-se prisioneiros. No conflito e na guerra é que se determina a extensão do âmbito e dos privilégios de cada um, segundo a *força de ser* de cada um. Como os Deuses são imortais, a guerra pela qual eles se configuram é também inextinguível definitivamente; a trégua e a ordem que se impõem ao respeito advêm da supremacia de Zeus, cujo espírito alerta e vigilante é invencível e impõe a seus adversários as condições por ele decididas (*scilicet* as *Moîrai* que vêm de Zeus).

Pelo fato de o tempo ser múltiplo e não único, adjetivo e não substantivo, a inter-relação dos Deuses não é de ordem crono-lógica, mas crato-onto-lógica: os Deuses se conexionam, se organizam e se hierarquizam segundo a *força de ser*.

O fato de *Kháos* ter nascido *primeiríssimo* (*prótista*, v. 116) e a Terra ter vindo *depois* (*épeita*, v. 116) indica tão-somente que têm um *valor* diferente e uma diferente função no constituir-se de cada ser, e que o valor e a função de *Kháos* aí prepondera. Estas expressões temporais *prótista* e *épeita* têm um sentido ontológico, e não cronológico: indicam a prioridade de *Kháos* sobre Terra e Eros, e não a anterioridade daquele a estes, — indicam que, no constituir-se de cada ente, o que esse ente não é ultrapassa de muito o que ele *é*. *Kháos* é a imagem mítica da Negação-de-Ser, cuja natureza — como vimos no capítulo cinco — se explicita em parte através de sua descendência tanto quanto em parte se esclarece através do nome *Kháos* que o nomeia; o Tártaro, seu outro nome, está no fundo, no âmago da própria Terra-Fundamento-de-Tudo-e-de-Todos. E essa situação do Tártaro, tanto quanto esse *prótista* jungido à nomeação primeira de *Kháos*, indica igualmente que o constituir-se de cada ente funda-se na afirmação do que ele efetivamente *é* e, também e sobretudo, na negação de tudo o que ele definitivamente *não é* — e esta negação (do que não se é) é muito mais vigorosa e radical do que aquela afirmação (do que se é). E é *ontologicamente* e não cronologicamente que a negação (*Kháos*) se impõe *prótista* e a afirmação (Terra) se faz *épeita*.

No hino a Hécate (vv. 404-52), ao exaltar os poderes e privilégios dessa Deusa, Hesíodo diz que

> "*de quantos Deuses nasceram da Terra e do Céu*
> "*e receberam honra, de todos ela obteve um lote;*
> "*nem o Cronida a violou nem a despojou*
> "*do que recebeu entre os antigos Deuses Titãs,*
> "*e ela tem como primeiro no começo houve a partilha.*
> (vv. 421-5)

Portanto Hécate, no reinado de Crono, não se encontra no número dos "não-honrados" e "sem-prêmios" (cf. v. 395), mas, bem ao contrário, nesse reinado ela obtém um lote (*ékhei aisan*, v. 422) de quantos Titãs nascidos da Terra e do Céu receberam honra (*timèn élakhon*, v. 422). E os poderes de Hécate ainda se multiplicam,

86

porque, no reinado de Zeus, ela não só conserva "o que recebeu dos antigos Deuses Titãs" (v. 424), mas também Zeus, além de honrá-la e conceder-lhe

> *"esplêndidos dons,*
> *"ter parte na terra e no mar infecundo"*
>
> (vv. 412-3),

> *"a fez nutriz de jovens que depois dela*
> *"com os olhos viram a luz da multividente Aurora.*
> *"Assim dês o começo é nutriz de jovens (...)".*
>
> (vv. 450-2)

Hécate só pode ter sido "nutriz de jovens" (*kourotróphos*) por uma outorga de Zeus que lhe tem valido "dês o começo" (*ex arkhês*), i.e., desde o seu nascimento, num universo cujos eventos não se organizam segundo o princípio cronológico do antes-e-depois, mas segundo o princípio crato-onto-lógico da *força-de-ser.*

Hécate, por obra de Zeus, já nasce nutriz de jovens (v. 452); e para que isso assim se dê, ela deve nascer na fase cósmica do reinado de Zeus (se não, como Zeus poderia lhe outorgar tão honrosa função?). No entanto, consoante diz o v. 414, "ela também do Céu constelado partilhou a honra" — e isto significa que Hécate transita para a fase cósmica em que o Céu ancestral copula desordenada e proliferantemente com a Terra-Mãe? — Pode ser. — De todo modo, os vv. 421-5 supracitados indicam claramente que ela vive honrada e apanagiosamente na fase cósmica do reinado de Crono.

Se há uma sucessão das três fases cósmicas numa ordem em que primeiro há a do Céu primordial, depois há o *kósmos* de Crono e em terceiro a realeza de Zeus, — neste caso, Hécate remonta da última (reinado de Zeus) para a primeira (reinado do Céu) e instala-se na segunda (reinado de Crono). — O que significa que essa "sucessão" não é uma seqüência rigorosamente pautada pelo princípio cronológico do antes-e-depois.

Ou, então, Hécate — que é desde seu nascimento (*ex arkhês*) nutriz de jovens por outorga de Zeus — não nasce sob o reinado de Zeus; e, neste caso, a Grande Partilha (pela qual Zeus instaura e impõe a sua Ordem e a sua Justiça) determina e ordena fatos que, numa perspectiva cronológica pautada pelo antes-e-depois, deveriam dar-se *antes* dessa mesma Grande Partilha. — Donde se conclui que não tem sentido nem função na *Teogonia* o princípio cronológico do antes-e-depois. De fato, segundo uma leitura da

Teogonia, de acordo com esse princípio o cruel comportamento de Crono para com seus filhos é motivado por uma decisão da vontade de um Zeus ainda por nascer. Crono, soberano, engolia os seus filhos, tão logo nasciam,

> *"pois soube da Terra e do Céu constelado*
> *"que lhe era destino por um filho ser submetido*
> *"apesar de poderoso, por desígnios do grande Zeus".*
>
> (v. 463-5)

Na Teogonia, portanto, o tempo e a temporalidade se subordinam ao exercício dos Poderes divinos e à ação e Presença das Potestades divinas. Para Hesíodo, o tempo não é de modo algum uma categoria absoluta e nem sequer uma categoria. Nem há, na língua de Hesíodo, uma palavra que designe o tempo (como também não há uma que designe o espaço) de um modo abstrato. Nela, o tempo sempre se indica através de expressões adverbiais, adjetivas ou verbais; o tempo não é substantivo e deve sempre subordinar-se às exigências do Ser. E o Ser, na *Teogonia*, se revela como a *força-de-ser*, i.e., o poder de fazer-se Presença e de Presentificar.

O tempo, sendo sempre con-creto, sempre se dá segundo as exigências e implicações da Parusia. Até na sua circularidade de ano-anel (*eniautós*), o tempo se dá segundo as exigências e implicações da Parusia, visto que a circularidade do tempo enquanto ciclo das estações não é senão o modo de a-Presentar-se de Deméter e dos demais Deuses da vegetação e das forças telúricas.

Não há — em Hesíodo — *uma* natureza que se repita palingenesiacamente; há sim as Presenças Múltiplas das inúmeras Forças Divinas. O mito do eterno retorno é trabalho de um pensamento já bastante afeito à abstração; e é, portanto, a meu ver, estranho à concretitude das percepções e concepções hesiódicas.

IX. A PRESENÇA DO NUME-NOME

Enquanto Divindade, a Divindade se dá como a mais forte Presença, a Presença cuja Força de Ser origina a Si Mesma e a tudo que a Ela concerne e se refere. A essência da Divindade é a sua própria Presença, uma Presença que não é senão Ela Mesma, que não nos lembra senão d'Ela Mesma, não remete nem concerne senão a Si Mesma, que nos penetra inteiramente tanto como nos ultrapassa absolutamente, e cuja Força de Ser nos toca inteiramente e nos plenifica segundo Sua Qualidade de bem e de graça ou de mal, horror e desgraça, ou de ambos os dois simultaneamente, ou ainda, de ambos os dois nas mais diversas dosagens e nuances. O Ser-Deus é o ter a mais intensa realidade, que se revela na mais intensa, atraente, fascinante e contagiante pletora de Ser. O essencial atributo da Divindade é ser Ela Mesma, ou seja, o atributo da Ipseidade.

A Presença Divina é Originante de Si Mesma — e ao mesmo tempo é a Totalidade de Si Mesma, i.e., sua Força de Ser se faz inteiramente presente em cada manifestação sua, por parcial que esta seja. A Divindade, cuja essência é sua própria Presença, cujo único atributo essencial é a Ipseidade, Se dá como *a-létheia*, não-esquecimento, i.e., não-ocultação. A Divindade, portanto, em sua Presença não é senão o Manifestar-Se e Perceber-Se na Permanência de sua Patência. E é este Perceber-se a Si Mesmo na Patência de seu Ser que se manifesta como a múltipla e uníssona Voz das Musas, na Força da belíssima Voz que, junto ao trono de Zeus, revela a Zeus não só o próprio Zeus e seu trono mas também a totalidade Cósmica.

Essa múltipla e uníssona voz das Musas a Cantar no mesmo Canto com que o Cantor (*scilicet* o aedo) ao cantar presentifica a Totalidade Cósmica ante a si mesmo e a seus ouvintes — é, para esse Cantor e seus ouvintes, a mais forte experiência de realidade, justamente por ser, para eles, a experiência em que Se dá a Presença Divina.

As Deusas Musas cantam no Olimpo para deleite de Zeus o mesmo Canto que o aedo servo das Musas, pela outorga que estas lhe fizeram, canta — não só para o deleite dos ouvintes mortais — mas também para a manutenção da vida, para a vivificante comunhão com o Divino, para a transmissão do Saber e para que se possa ter visão da totalidade do Ser. Os vv. 36-52 mostram como as Musas no

Olimpo cantam para o gáudio e volúpia (*térpousin*) do percepiente espírito de Zeus (*mégan nóon*, v. 37, *Diòs nóon*, v. 51); os vv. 71-5 mostram que isso que elas aí cantam enquanto mantêm na luz de seu Canto as moradas olímpicas (*taut' ára Moûsai áeidon Olympia dómat' ékhousai*, v. 75) coincide com isso mesmo que se canta na *Teogonia* de Hesíodo.

No Encanto do Canto — na força dessa Poesia oral arcaica — é que se experimenta a Mais Forte Realidade, O Que Se dá como Presença Divina. Essa experiência numinosa — i.e., essa experiência em que o Nume (= Deus) Se dá — da linguagem e particularmente do Canto é a experiência em que mais fortemente se vive como percepiente, com a alertada e acesa atenção ao que se ouve e ao que se canta. A experiência numinosa do Canto é a audição de palavras-seres, de palavras-presenças. A Palavra-Presença, i.e., a Voz múltipla e uníssona das Musas encarnada na voz do aedo, mais do que ouvida é percebida: é vivida e vista na arcaica concretitude em que se reúnem e se con-fundem o nome e a coisa nomeada. A percepção humana que percebe esse Canto iluminador da *a-létheia* e presentificador da Presença Divina e da Totalidade Cósmica coincide com a Grande Percepção de Zeus no Olimpo, *Diòs nóon entòs Olympou* (v. 51). Essa Percepção (*mégan nóon*) não constitui para o homem um ato entre outros nem uma faculdade de que o homem disponha entre outras tantas que ele exerce habitual e trivialmente, mas essa Percepção constitui um ato pelo qual o homem se funda e se constitui. Trata-se de uma Percepção pela qual o homem encontra o seu próprio Fundamento, pela qual se comunica com a própria Fonte de Vida e a partir da qual a existência humana se configura, ganha Sentido e se vivifica. Essa Percepção imprime no coração do homem um novo *tónos*, novas forças e Sentido iluminador. *Nóos*, "percepção", se deixa traduzir também por "espírito", porque indica a totalidade percepiente do espírito e da consciência; o verbo *noéo*, derivado de *nóos*, diz tanto "perceber" e "ver" como "refletir", "meditar", "ser lúcido" e "ter sentido".

A experiência numinosa do Canto, para quem O canta e para quem O ouve, é — enquanto dura essa experiência em sua Numinosidade — *unio mystica*, i.e., um momento em que o espírito dos mortais e o Espírito de Zeus no Olimpo coincidem e são o mesmo e a mesma Percepção, iluminados voluptuosamente pela Voz ontofânica das Musas a dizerem entes e eventos presentes, futuros e passados.

Nessa experiência pela qual o homem arcaico se integra numa realidade absoluta que se dá como Presença Divina, esse absoluto que se determina e se dá à experiência dos homens como Presença Divina é o Deus que canta e ouve — o Deus que, no centro do convívio dos homens, canta a Si Mesmo e à totalidade do Ser e percebe a Si Mesmo, a seus ouvintes (mortais e Imortais) e à totalidade do Ser como o Canto de múltiplas e uníssonas Musas.

O Deus é a Oração, a Fala que vibra no Cantar, e que na experiência posterior de um Heráclito, — quando já se elabora a prosa por meio da escrita e o Discurso começa já a cegar-se de voz e de canto mas ainda se nutre das fórmulas e formulações legadas pelos aedos cujo período criativo já é então pretérito — será nomeada *Lógos*. *Lógos* é a Fala ontodíctica e cosmopoética, mas já não mais cantada. Mas, para Hesíodo e seus ouvintes, o Deus-Oração nomeia-se Musas, as Potestades do Hélicon sobranceiro e vizinho. Antes de se tornar *Lógos*, cego de canto e depois também de voz na estratificação gráfica e bíblica que o uso do alfabeto acabou por lhe impor, o Deus-Oração, enquanto se dá ao con-vívio dos homens em seu numinoso nome de Musas, ainda em Hesíodo multiplamente se designa *aoidé, audé, óssa, épea, mythoi, khoroí, molpé* (não há na *Teogonia* a palavra *hymnos*, empregada contudo nos *Trabalhos*, mas repete-se várias vezes o verbo *hymnéo*, "hinear"). O Deus-Oração é a Voz Múltipla e Una a vibrar em meio à Noite do Não-Ser que O envolve e que Ele, irrompendo por Seu próprio vigor, traz con-Sigo no seu ontofânico poder-nomear (cf. vv. 9-21).

O Mundo (*Mundus* = puro, con-sagrado) é o Canto das Musas, as quais não são senão a teo-cosmo-fânica função do Cantar, explicitações do Ser de Zeus e da Memória (e estes Zeus e Memória são explicitações do Ser inconcusso e primordial da Terra-Mãe, Fundamento de Tudo e de todos os mortais e Imortais); — e, sensuais e fecundas, infundindo a volúpia de ouvir, ver e Ser, as Musas são o Canto Mundificante (teogônico = cosmogônico e con-sagrado) Ouvido por Si Mesmo Que O Canta.

A *Teogonia* hesiódica na verdade é antes um hino às Musas que um hino a Zeus, já que é um hino a Zeus só na medida em que o é às Musas, pois são as Musas que, na experiência de Hesíodo e de seus ouvintes, correspondiam ao mais alto Poder e à mais alta Eficiência: o Poder e a E-Ficiência da Pro-Ducção do Mundo. Zeus tem o renhidamente conquistado poder de *theôn patèr kaì andrôn*, "pai (= chefe soberano) dos Deuses e dos homens"; as Musas têm nos Encantos de seus Cantos o poder de presentificar o Mundo e as dimensões, entes e eventos intra- e extramundanos.

Se desta experiência numinosa da linguagem, tal como é documentada na *Teogonia* hesiódica, se fez uma exposição correta e claramente compreendida, então deve clarificar-se com um novo sentido (que o vincula a uma pré-figuração em Hesíodo) o *hèn pánta einai* do fragmento 50 D.K. de Heráclito, que na tradução do Prof. José Cavalcante de Souza, diz: "Não de mim mas do logos tendo ouvido é sábio homologar tudo é um". O Prof. Cavalcante faz, em nota acrescida a essa sua tradução[1], observar a relação logos-homologar (*lógou — homo-logein*) e informa que o componente "homo-" significa "junto".

O aforisma deste fragmento 50 aponta em direção à experiência numinosa que está — segundo a nossa análise e entendimento — documentada na canção de Hesíodo. Nesta, a Fala, que se experimenta não como uma faculdade humana, mas como Potestades divinas filhas de Zeus e de Memória, é vivida e convivida como a mais intensa e irradiante pletora de Ser. Na concretitude arcaica que reúne e con-funde o nome e a coisa nomeada, a Fala presentifica com o nome a própria coisa nomeada. Esta Fala, filha de Zeus e Memória, enquanto canta o poder e a glória de Zeus, presentifica no Canto o próprio Zeus a quem esse mesmo Canto se dirige para dar-lhe alegria e prazer (tal como lhe dá também Ser). Zeus é o precípuo destinatário deste Canto tal como é também — juntamente com Memória — o genitor deste Canto e das Fontes deste Canto de que é igualmente objeto. Este Canto, que é a Fala teo-cosmo-gônica, é o mesmo canto do aedo a quem o poder de cantá-lo foi outorgado por uma explícita e "histórica" epifania desta mesma Divina Fala gerada por Zeus e geratriz de Zeus e do Mundo. Ao reunir e con-fundir o Ouvinte e o Agente da Dicção numa unidade insolúvel tal como reúne e con-funde o que é dito e a Dicção mesma, esta Fala Divina e Ontofânica — que é a Mesma no Canto das Musas e no canto do aedo — faz com que os Ouvintes mortais e Imortais coincidam e sejam o Mesmo numa só e mesma Percepção (= Espírito) que é simultaneamente o Percepiente e o Percebido, Percepção de uma Fala que é simultaneamente a fala e a coisa dita, o emissor e o destinatário. Nessa Percepção, nesse *mégas nóos*, tudo é Um.

Se esta exposição é correta e claramente compreendida, esse aforisma de Heráclito diz: "Se ouvem não a mim, Herákleitos Blósonos Ephésios, mas à Fala (o que equivale, em termos hesiódicos,

---

1) Cavalcante de Souza, José. *Os Pré-Socráticos*, São Paulo: Abril Cultural, 1973, p. 90, nota.

à Voz uníssona das Musas), é hábil condizer-se que Tudo é Um, i.e., há condições hábeis para se con-dizer (com) o que se ouve: Todos os entes e eventos é Um Só e o Mesmo — *scilicet* a Fala".

Essa leitura do aforisma do fragmento 50 deve ser tomada como o exercício de *uma* interpretação *possível*; essa leitura se desvirtuaria se o leitor a recebesse como se a presidisse a intenção de com ela se apresentar o autêntico e enfim desvendado sentido desse aforisma — porque se são inúmeros os sentidos falseados que dele se podem apresentar, o seu autêntico sentido nem se diz nem se oculta, mas é novo a cada dia. (Cf. Heráclito, frags. 93 e 6 D.K.) De mais a mais, é tão manifesta insensatez fazer coincidir e tomar como uma mesma coisa a experiência hesiódica da linguagem e a heraclítica, quanto apartá-las e supor que não têm pontos de contacto e de coincidência.

Essa leitura do fragmento 50 arcaíza um tanto e consciamente o aforisma heraclítico para evidenciar certos vínculos e uma certa continuidade que a Cultura Grega de século a século manteve, ainda quando a experiência do Discurso passava da *aoidé* para o *lógos*.

Na experiência Numinosa arcaica e hesiódica da linguagem, o nome do Nume é esse Nume em sua própria Ipseidade. O Deus, na perspectiva arcaica, tem como seu atributo essencial a sua Ipseidade; assim também, o nome de um Nume muitas vezes não signi-fica esse Nume, mas é o Nume Mesmo. Este é o sentido de expressões como: *ouk onomastoí*, "não-nomeáveis" referida à assombrosa figura dos três Centímanos (v. 148), e *oú ti phateión*, "algo que não se deve dizer", aplicada ao incombatível cão de Hades (v. 310); o nome desses seres apavorantes é ne-fando, e o que impede pronunciar o nome desses Deuses é justamente o pavor que a presença deles infunde ou o mal que ela traz, pois o nome é a Presença.

Este é o sentido das tão freqüentes antífrases que faz com que a hedionda Noite filha de Caos seja nomeada (ainda em Heráclito por exemplo, no frag. 67 D.K.) *Euphróne*, "a benévola". Divindades terríveis e maléficas são nomeadas, — quando a necessidade a isso obriga, — com antífrases propiciadoras ou apotropaicas, e assim as aniquiladoras *Erínias* chamam-se também Eumênides (= Benevolentes) ou o sinistro *Áxeinos Póntos* (= Mar Inóspito), onde os naufrágios se sucediam passa a chamar-se *Euxeinos* (= Hospitaleiro).

Antífrases e corruptelas motivadas pelo temor de palavras aziagas ou ominosas são comuns a diversas culturas e a diversas épocas. Em Hesíodo, esse fato ganha uma envergadura e um peso decisivos dentro do contexto da veneração pelas Musas, do cultivo do Canto como um dom divino. Nesse contexto, conforme o documentam o prologal hino às Musas e a própria estrutura e elementos componentes da *Teogonia*, o Nume é o seu Nome cuja Nomeação funda a Presença do próprio Nume — e, portanto, não signi-fica, mas *é*.

Os nomes, quer associados uns aos outros nos catálogos quer articulados à narração, neste poema valem por um poder ontofânico que se experimentava como neles vigorando. Neste sentido é que deve ter-se dado a percepção e a fruição deste Canto teo-cosmo-gônico quando se o cantou e se o ouviu pela primeira vez. Neste sentido é que têm vida e sentido os extensos catálogos de nomes sagrados que constituem este Canto e compõem o Mundo que este Canto ilumina e traz consigo.

EPÍLOGO

Cantar, encaixar dentro da combinação dos versos essas fórmulas que gerações ágrafas de aedos burilaram e joeiraram ao longo de séculos, — não tem só o sentido de compor um mosaico verbal com fórmulas pré-moldadas e fazer surgir de novo um novo e antigo canto. O Cantar, para Hesíodo, transcende as forças e possibilidades humanas, ele nasce nonuplamente das nove noites de cópulas entre Zeus Pai e Memória Rainha de Eleutera. Cantar é fazer surgir, segundo a ordem harmoniosa da lira (poder de Apolo), essa mesma ordem das linhagens divinas e a ordem mesma instituída e mantida por Zeus — fazer surgir pelas forças numinosas do Canto os múltiplos aspectos do inúmero conjunto de teofanias, benévolas e/ou malignas, sublimes e/ou horrendas.

A ordem dos Nomes no Canto é a ordem do(s) múltiplo(s) Mundo(s). Quando o aedo canta, no Canto vão se mostrando todos os entes e eventos passados, futuros e presentes.

Na *Teogonia*, cada Deus tem um âmbito próprio, uma constelação de acontecimentos que o envolve, um elenco de noções ou de lendas associadas a ele; cada Deus é uma dimensão divina de existência, cada Deus é um particular mundo divino, com suas experiências, seus eventos e vivências prototípicos. O nome que nomeia este Deus contém em si um mundo e é em potencial um outro novo Canto. Pronunciado sob a forma deste Nome de um Deus, ouve-se toda uma canção como um Nome nesta canção que é a *Teogonia*. Este Nome em que se condensam tantos sentidos e significações é um Nome in-tenso e que atua com intensa força sobre o ouvinte: é um Nome Numinoso, i.e., este Nome tem em si um Nume — é um Nome carregado de energia (sagrado) como é sagrado o Deus.

Este Nome se articula com outros Nomes como o Nume com outros Numes. A áspera e tensa harmonia dos Nomes na Canção é a tensa e agonística harmonia dos Deuses. Como um combate de Potestades e um combate pelo Poder é que a *Teogonia* diz e a-presenta o Mundo. O Mundo é este conjunto inexprimível e inumerável de teofanias — Hesíodo confessa que não pode dizê-lo todo, cada homem conhece os Deuses que o acompanham e aos quais acompanha.

"De todos é difícil a um mortal dizer o nome,
"a cada um conhece quem habita à sua beira."

(vv. 369-70)

O Mundo é um conjunto inesgotável de Numes circunscritos por uma ordem (*Moîra, Anánke*) que lhes atribui seus departamentos (i.e., seus privilégios, sua *timé*). O Nome é sagrado pela sacralidade do Nume nomeado, a força do Nome é a força do Nume, a força evocadora do Nome é já a Presença do Nume. Os Nomes na harmonia da Canção re-velam os Numes na harmonia da ordem. Esta ordem é a Fatalidade (*Anánke, Moîra*) que é a Facticidade da Presença, dos factos. Os Deuses são seus privilégios, seus poderes (*timaí*) por força de serem: a Ordem se impõe por si mesma através do equilíbrio (instável) a que chegam ou tendem as Forças Divinas no Com-bate em que se empenham, que as reúne, e de onde Elas tiram suas Forças para serem Forças neste mesmo Com-bate. A Ordem é esta configuração instável a que as Forças tendem com tanta con-stância por que só são Forças no empenho do Com-bate que as configura como Forças. Cada Deus vigia ciosamente (*phthonerón te kaì tarakhôdes*, Heródoto, 1.23) o seu âmbito e seus privilégios (*timé, moîra*): se um outro Deus ou homem transgride o seu âmbito-privilégio, isto para ele é uma diminuição de ser; se ele ultrapassa o seu âmbito, isto é transgredir o âmbito de um outro Deus. Para o transgressor, a transgressão é uma incorporação de novos privilégios (um aumento de ser); para esse cujo âmbito-privilégio é transgredido, uma perda (uma diminuição de ser).

O Nume está no seu Nome, o Nume está na sua re-velação, o Nume está no seu não-esquecimento. Ouvir o Nome é estar em Presença do Nume (*tò gàr autò noeîn estín te kaì eînai*, "pois o mesmo é perceber e Ser", Parmênides, frag. 3 D.K.).

O Nome é o Ser, o Nume é a pletora de Ser, a experiência do Sagrado é a da mais forte Realidade, a da suprema Força de Ser. A Canção dos Nomes Numinosos é o próprio Com-bate que a uns mostra como Deuses e a outros faz homens. Este Com-bate dos Deuses que se revela (na) Canção é o próprio Mundo na sua suprema Força de Ser e de des-velar-se. A Canção é este des-velar-se do Mundo. A revelação em que o Mundo se dá com sua maior força e expansão de Ser vige e é na experiência Numinosa que é Cantar e Ouvir esta Canção.

O Canto que o aedo está cantando é o Canto que as Musas cantam para que o Ser se dê e para que voluptuosamente se dê a

Grande Percepção (*mégas nóos*) vigilante e mundificante de Zeus no Olimpo. As Musas e o aedo Hesíodo se nomeiam neste mesmo Canto que cantam e é no exercício mesmo deste Canto que eles têm a sua mais plena manifestação de Ser: o Cantar, que cinge em si a Totalidade Cósmica e cujo centro é Zeus, se canta e se ouve a si mesmo.

Esta experiência arcaica do Canto é arcaica também no sentido de que é arquetípica. Neste sentido, o arcaico é arcaico porque nele se dá a *Arkhé*, o Princípio-Fonte con-stitutivo e con-temporâneo do que é por ele con-stituído.

A experiência do Nume-Nome, a experiência Numinosa da linguagem, é inefável e/ou nefanda. É indizível porque o nome que a de-signa não pode signi-ficar nada: não é um signo (= sinal) mas um nome que não é senão o Nume-Mesmo. Por isso a experiência Numinosa pode-se tê-la ou não, mas não se pode dizê-la — porque dizê-la verdadeiramente não é dizê-la, mas tê-la: porque através dela o nome não é mais signo mas o próprio Nume. E a única condição para se compreender um discurso que se pretende sobre ela é repeti-la em si e tê-la por si própria, e nesse caso se compreenderá a própria experiência pessoal e não o discurso em si mesmo enquanto um discurso feito por uma *outra* pessoa.

TEOGONIA
A ORIGEM DOS DEUSES

NOTA EDITORIAL

O texto base desta tradução segue o de Friedrich Solmsen, exceto nos versos:

582-3   (Paul Mazon)
870   (Paul Mazon; M.L. West).

ΘΕΟΓΟΝΙΑ

Μουσάων Ἑλικωνιάδων ἀρχώμεθ' ἀείδειν,
αἵ θ' Ἑλικῶνος ἔχουσιν ὄρος μέγα τε ζάθεόν τε
καί τε περὶ κρήνην ἰοειδέα πόσσ' ἀπαλοῖσιν
ὀρχεῦνται καὶ βωμὸν ἐρισθενέος Κρονίωνος·
καί τε λοεσσάμεναι τέρενα χρόα Περμησσοῖο   5
ἢ Ἵππου κρήνης ἢ Ὀλμειοῦ ζαθέοιο
ἀκροτάτῳ Ἑλικῶνι χοροὺς ἐνεποιήσαντο
καλοὺς ἱμερόεντας, ἐπερρώσαντο δὲ ποσσίν.
Ἔνθεν ἀπορνύμεναι, κεκαλυμμέναι ἠέρι πολλῷ,
ἐννύχιαι στεῖχον περικαλλέα ὄσσαν ἱεῖσαι,   10
ὑμνεῦσαι Δία τ' αἰγίοχον καὶ πότνιαν Ἥρην
Ἀργείην, χρυσέοισι πεδίλοις ἐμβεβαυῖαν,
κούρην τ' αἰγιόχοιο Διὸς γλαυκῶπιν Ἀθήνην
Φοῖβόν τ' Ἀπόλλωνα καὶ Ἄρτεμιν ἰοχέαιραν
ἠδὲ Ποσειδάωνα γαιήοχον ἐννοσίγαιον   15
καὶ Θέμιν αἰδοίην ἑλικοβλέφαρόν τ' Ἀφροδίτην
[Ἥβην τε χρυσοστέφανον καλήν τε Διώνην
Ἠῶ τ' Ἠέλιόν τε μέγαν λαμπράν τε Σελήνην]   19
Λητώ τ' Ἰαπετόν τε ἰδὲ Κρόνον ἀγκυλομήτην   18
Γαῖάν τ' Ὠκεανόν τε μέγαν καὶ Νύκτα μέλαιναν   20
ἄλλων τ' ἀθανάτων ἱερὸν γένος αἰὲν ἐόντων.
    Αἵ νύ ποθ' Ἡσίοδον καλὴν ἐδίδαξαν ἀοιδήν,
ἄρνας ποιμαίνονθ' Ἑλικῶνος ὑπὸ ζαθέοιο.
Τόνδε δέ με πρώτιστα θεαὶ πρὸς μῦθον ἔειπον,
Μοῦσαι Ὀλυμπιάδες, κοῦραι Διὸς αἰγιόχοιο·   25
"Ποιμένες ἄγραυλοι, κάκ' ἐλέγχεα, γαστέρες οἶον,
ἴδμεν ψεύδεα πολλὰ λέγειν ἐτύμοισιν ὁμοῖα,
ἴδμεν δ', εὖτ' ἐθέλωμεν, ἀληθέα γηρύσασθαι."
Ὥς ἔφασαν κοῦραι μεγάλου Διὸς ἀρτιέπειαι·
καί μοι σκῆπτρον ἔδον, δάφνης ἐριθηλέος ὄζον   30
δρέψασαι, θηητόν· ἐνέπνευσαν δέ μοι αὐδὴν
θέσπιν, ἵνα κλείοιμι τά τ' ἐσσόμενα πρό τ' ἐόντα,

TEOGONIA

[Proêmio: hino às Musas]

Pelas Musas heliconíades comecemos a cantar.
Elas têm grande e divino o monte Hélicon,
em volta da fonte violácea com pés suaves
dançam e do altar do bem forte filho de Crono.
Banharam a tenra pele no Permesso   5
ou na fonte do Cavalo ou no Olmio divino
e irrompendo com os pés fizeram coros
belos ardentes no ápice do Hélicon.
Daí precipitando-se ocultas por muita névoa
vão em renques noturnos lançando belíssima voz,   10
hineando Zeus porta-égide, a soberana Hera
de Argos calçada de áureas sandálias,
Atena de olhos glaucos virgem de Zeus porta-égide,
o luminoso Apolo, Ártemis verte-flechas,
Posídon que sustém e treme a terra,   15
Têmis veneranda, Afrodite de olhos ágeis,
Hebe de áurea coroa, a bela Dione,
Aurora, o grande Sol, a Lua brilhante,   19
Leto, Jápeto, Crono de curvo pensar,   18
Terra, o grande Oceano, a Noite negra   20
e o sagrado ser dos outros imortais sempre vivos.
Elas um dia a Hesíodo ensinaram belo canto
quando pastoreava ovelhas ao pé do Hélicon divino.
Esta palavra primeiro disseram-me as Deusas
Musas olimpíades, virgens de Zeus porta-égide: 25
"Pastores agrestes, vis infâmias e ventres só,
sabemos muitas mentiras dizer símeis aos fatos
e sabemos, se queremos, dar a ouvir revelações".
Assim falaram as virgens do grande Zeus verídicas,
por cetro deram-me um ramo, a um loureiro viçoso   30
colhendo-o admirável, e inspiraram-me um canto
divino para que eu glorie o futuro e o passado,

καί με κέλονθ' ὑμνεῖν μακάρων γένος αἰὲν ἐόντων,
σφᾶς δ' αὐτὰς πρῶτόν τε καὶ ὕστατον αἰὲν ἀείδειν.
Ἀλλὰ τίη μοι ταῦτα περὶ δρῦν ἢ περὶ πέτρην;   35
Τύνη, Μουσάων ἀρχώμεθα, ταὶ Διὶ πατρὶ
ὑμνεῦσαι τέρπουσι μέγαν νόον ἐντὸς Ὀλύμπου,
εἰρεῦσαι τά τ' ἐόντα τά τ' ἐσσόμενα πρό τ' ἐόντα,
φωνῇ ὁμηρεῦσαι· τῶν δ' ἀκάματος ῥέει αὐδὴ
ἐκ στομάτων ἡδεῖα· γελᾷ δέ τε δώματα πατρὸς   40
Ζηνὸς ἐριγδούποιο θεᾶν ὀπὶ λειριοέσσῃ
σκιδναμένῃ· ἠχεῖ δὲ κάρη νιφόεντος Ὀλύμπου
δώματά τ' ἀθανάτων. Αἳ δ' ἄμβροτον ὄσσαν ἱεῖσαι
θεῶν γένος αἰδοῖον πρῶτον κλείουσιν ἀοιδῇ
ἐξ ἀρχῆς οὓς Γαῖα καὶ Οὐρανὸς εὐρὺς ἔτικτεν   45
οἵ τ' ἐκ τῶν ἐγένοντο θεοί, δωτῆρες ἐάων·
δεύτερον αὖτε Ζῆνα, θεῶν πατέρ' ἠδὲ καὶ ἀνδρῶν,
[ἀρχόμεναί θ' ὑμνεῦσι θεαὶ λήγουσαί τ' ἀοιδῆς,]
ὅσσον φέρτατός ἐστι θεῶν κράτει τε μέγιστος·
αὖτις δ' ἀνθρώπων τε γένος κρατερῶν τε Γιγάντων   50
ὑμνεῦσαι τέρπουσι Διὸς νόον ἐντὸς Ὀλύμπου
Μοῦσαι Ὀλυμπιάδες, κοῦραι Διὸς αἰγιόχοιο.
    Τὰς ἐν Πιερίῃ Κρονίδῃ τέκε πατρὶ μιγεῖσα
Μνημοσύνη, γουνοῖσιν Ἐλευθῆρος μεδέουσα,
λησμοσύνην τε κακῶν ἄμπαυμά τε μερμηράων.   55
Ἐννέα γάρ οἱ νύκτας ἐμίσγετο μητίετα Ζεὺς
νόσφιν ἀπ' ἀθανάτων ἱερὸν λέχος εἰσαναβαίνων·
ἀλλ' ὅτε δή ῥ' ἐνιαυτὸς ἔην, περὶ δ' ἔτραπον ὧραι,
μηνῶν φθινόντων, περὶ δ' ἤματα πόλλ' ἐτελέσθη,
ἡ δ' ἔτεκ' ἐννέα κούρας ὁμόφρονας, ᾗσιν ἀοιδὴ   60
μέμβλεται ἐν στήθεσσιν ἀκηδέα θυμὸν ἐχούσαις,
τυτθὸν ἀπ' ἀκροτάτης κορυφῆς νιφόεντος Ὀλύμπου·
ἔνθα σφιν λιπαροί τε χοροὶ καὶ δώματα καλά·
πὰρ δ' αὐτῆς Χάριτές τε καὶ Ἵμερος οἰκί' ἔχουσιν
ἐν θαλίῃς· ἐρατὴν δὲ διὰ στόμα ὄσσαν ἱεῖσαι   65
μέλπονται πάντων τε νόμους καὶ ἤθεα κεδνὰ
ἀθανάτων κλείουσιν, †ἐπήρατον ὄσσαν ἱεῖσαι.†
    Αἳ τότ' ἴσαν πρὸς Ὄλυμπον ἀγαλλόμεναι ὀπὶ καλῇ,
ἀμβροσίῃ μολπῇ· περὶ δ' ἴαχε γαῖα μέλαινα
ὑμνεύσαις, ἐρατὸς δὲ ποδῶν ὕπο δοῦπος ὀρώρει   70
νισομένων πατέρ' εἰς ὅν· ὃ δ' οὐρανῷ ἐμβασιλεύει,

impeliram-me a hinear o ser dos venturosos sempre vivos
e a elas primeiro e por último sempre cantar.
Mas por que me vem isto de carvalho e de pedra? 35
    Eia! pelas Musas comecemos, elas a Zeus pai
hineando alegram o grande espírito no Olimpo
dizendo o presente, o futuro e o passado
vozes aliando. Infatigável flui o som
das bocas, suave. Brilha o palácio do pai 40
Zeus troante quando a voz lirial das Deusas
espalha-se, ecoa a cabeça do Olimpo nevado
e o palácio dos imortais. Lançando voz imperecível
o ser venerando dos Deuses primeiro gloriam no canto
dês o começo: os que a Terra e o Céu amplo geraram 45
e os deles nascidos Deuses doadores de bens,
depois Zeus pai dos Deuses e dos homens,
no começo e fim do canto hineiam as Deusas
o mais forte dos Deuses e o maior em poder,
e ainda o ser de homens e de poderosos Gigantes. 50
Hineando alegram o espírito de Zeus no Olimpo
Musas olimpíades, virgens de Zeus porta-égide.
    Na Piéria gerou-as, da união do Pai Cronida,
Memória rainha nas colinas de Eleutera,
para oblívio de males e pausa de aflições. 55
Nove noites teve uniões com ela o sábio Zeus
longe dos imortais subindo ao sagrado leito.
Quando girou o ano e retornaram as estações
com as mínguas das luas e muitos dias findaram,
ela pariu nove moças concordes que dos cantares 60
têm o desvelo no peito e não-triste ânimo,
perto do ápice altíssimo do nevoso Olimpo,
aí os seus coros luzentes e belo palácio.
Junto a elas as Graças e o Desejo têm morada
nas festas, pelas bocas amável voz lançando 65
dançam e gloriam a partilha e hábitos nobres
de todos os imortais, voz bem amável lançando.
    Elas iam ao Olimpo exultantes com a bela voz,
imperecível dança. Em torno gritava a terra negra
ao hinearem, dos pés amável ruído erguia-se 70
ao irem a seu pai. Ele reina no céu

αὐτὸς ἔχων βροντὴν ἠδ' αἰθαλόεντα κεραυνόν,
κάρτει νικήσας πατέρα Κρόνον· εὖ δὲ ἕκαστα
ἀθανάτοις διέταξεν ὁμῶς καὶ ἐπέφραδε τιμάς.
Ταῦτ' ἄρα Μοῦσαι ἄειδον Ὀλύμπια δώματ' ἔχουσαι,   75
ἐννέα θυγατέρες μεγάλου Διὸς ἐκγεγαυῖαι,
Κλειώ τ' Εὐτέρπη τε Θάλειά τε Μελπομένη τε
Τερψιχόρη τ' Ἐράτω τε Πολύμνιά τ' Οὐρανίη τε
Καλλιόπη θ'· ἣ δὲ προφερεστάτη ἐστὶν ἁπασέων.
Ἣ γὰρ καὶ βασιλεῦσιν ἅμ' αἰδοίοισιν ὀπηδεῖ.   80
Ὅντινα τιμήσουσι Διὸς κοῦραι μεγάλοιο
γεινόμενόν τ' ἐσίδωσι διοτρεφέων βασιλήων,
τῷ μὲν ἐπὶ γλώσσῃ γλυκερὴν χείουσιν ἐέρσην,
τοῦ δ' ἔπε' ἐκ στόματος ῥεῖ μείλιχα· οἱ δέ τε λαοὶ
πάντες ἐς αὐτὸν ὁρῶσι διακρίνοντα θέμιστας   85
ἰθείῃσι δίκῃσιν· ὃ δ' ἀσφαλέως ἀγορεύων
αἶψά τε καὶ μέγα νεῖκος ἐπισταμένως κατέπαυσεν·
τοὔνεκα γὰρ βασιλῆες ἐχέφρονες, οὕνεκα λαοῖς
βλαπτομένοις ἀγορῆφι μετάτροπα ἔργα τελεῦσι
ῥηιδίως, μαλακοῖσι παραιφάμενοι ἐπέεσσιν.   90
Ἐρχόμενον δ' ἀν' ἀγῶνα θεὸν ὣς ἱλάσκονται
αἰδοῖ μειλιχίῃ, μετὰ δὲ πρέπει ἀγρομένοισιν·
τοίη Μουσάων ἱερὴ δόσις ἀνθρώποισιν.
Ἐκ γάρ τοι Μουσέων καὶ ἑκηβόλου Ἀπόλλωνος
ἄνδρες ἀοιδοὶ ἔασιν ἐπὶ χθόνα καὶ κιθαρισταί,   95
ἐκ δὲ Διὸς βασιλῆες· ὃ δ' ὄλβιος, ὅντινα Μοῦσαι
φίλωνται· γλυκερή οἱ ἀπὸ στόματος ῥέει αὐδή.
Εἰ γάρ τις καὶ πένθος ἔχων νεοκηδέι θυμῷ
ἄζηται κραδίην ἀκαχήμενος, αὐτὰρ ἀοιδὸς
Μουσάων θεράπων κλεῖα προτέρων ἀνθρώπων   100
ὑμνήσει μάκαράς τε θεοὺς οἳ Ὄλυμπον ἔχουσιν,
αἶψ' ὅ γε δυσφροσυνέων ἐπιλήθεται οὐδέ τι κηδέων
μέμνηται· ταχέως δὲ παρέτραπε δῶρα θεάων.
Χαίρετε, τέκνα Διός, δότε δ' ἱμερόεσσαν ἀοιδήν·
κλείετε δ' ἀθανάτων ἱερὸν γένος αἰὲν ἐόντων,   105
οἳ Γῆς τ' ἐξεγένοντο καὶ Οὐρανοῦ ἀστερόεντος,
Νυκτός τε δνοφερῆς, οὕς θ' ἁλμυρὸς ἔτρεφε Πόντος.
[Εἴπατε δ', ὡς τὰ πρῶτα θεοὶ καὶ γαῖα γένοντο
καὶ ποταμοὶ καὶ πόντος ἀπείριτος, οἴδματι θυίων,
ἄστρα τε λαμπετόωντα καὶ οὐρανὸς εὐρὺς ὕπερθεν.]   110

tendo consigo o trovão e o raio flamante,
venceu no poder o pai Crono, e aos imortais
bem distribuiu e indicou cada honra;
isto as Musas cantavam, tendo o palácio olímpio, 75
nove filhas nascidas do grande Zeus:
Glória, Alegria, Festa, Dançarina,
Alegra-coro, Amorosa, Hinária, Celeste
e Belavoz, que dentre todas vem à frente.
Ela é que acompanha os reis venerandos. 80
A quem honram as virgens do grande Zeus
e dentre reis sustentados por Zeus vêem nascer,
elas lhe vertem sobre a língua o doce orvalho
e palavras de mel fluem de sua boca. Todas
as gentes o olham decidir as sentenças 85
com reta justiça e ele firme falando na ágora
logo à grande discórdia cônscio põe fim,
pois os reis têm prudência quando às gentes
violadas na ágora perfazem as reparações
facilmente, a persuadir com brandas palavras. 90
Indo à assembléia, como a um Deus o propiciam
pelo doce honor e nas reuniões se distingue.
Tal das Musas o sagrado dom aos homens.
        Pelas Musas e pelo golpeante Apolo
há cantores e citaristas sobre a terra, 95
e por Zeus, reis. Feliz é quem as Musas
amam, doce de sua boca flui a voz.
Se com angústia no ânimo recém-ferido
alguém aflito mirra o coração e se o cantor
servo das Musas hineia a glória dos antigos 100
e os venturosos Deuses que têm o Olimpo,
logo esquece os pesares e de nenhuma aflição
se lembra, já os desviaram os dons das Deusas.
        Alegrai, filhas de Zeus, dai ardente canto,
gloriai o sagrado ser dos imortais sempre vivos, 105
os que nasceram da Terra e do Céu constelado,
os da Noite trevosa, os que o salgado Mar criou.
Dizei como no começo Deuses e Terra nasceram,
os Rios, o Mar infinito impetuoso de ondas,
os Astros brilhantes e o Céu amplo em cima. 110

Οἵ τ' ἐκ τῶν ἐγένοντο θεοὶ δωτῆρες ἐάων,
ὥς τ' ἄφενος δάσσαντο καὶ ὡς τιμὰς διέλοντο
ἠδὲ καὶ ὡς τὰ πρῶτα πολύπτυχον ἔσχον Ὄλυμπον.
Ταῦτά μοι ἔσπετε Μοῦσαι Ὀλύμπια δώματ' ἔχουσαι
ἐξ ἀρχῆς, καὶ εἴπαθ' ὅτι πρῶτον γένετ'αὐτῶν.   115

Ἤτοι μὲν πρώτιστα Χάος γένετ'· αὐτὰρ ἔπειτα
Γαῖ' εὐρύστερνος, πάντων ἕδος ἀσφαλὲς αἰεὶ
ἀθανάτων οἳ ἔχουσι κάρη νιφόεντος Ὀλύμπου,
[Τάρταρά τ' ἠερόεντα μυχῷ χθονὸς εὐρυοδείης,]
ἠδ' Ἔρος, ὃς κάλλιστος ἐν ἀθανάτοισι θεοῖσι,   120
λυσιμελής, πάντων τε θεῶν πάντων τ' ἀνθρώπων
δάμναται ἐν στήθεσσι νόον καὶ ἐπίφρονα βουλήν.
Ἐκ Χάεος δ' Ἔρεβός τε μέλαινά τε Νὺξ ἐγένοντο·
Νυκτὸς δ' αὖτ' Αἰθήρ τε καὶ Ἡμέρη ἐξεγένοντο,
οὓς τέκε κυσαμένη Ἐρέβει φιλότητι μιγεῖσα.   125
Γαῖα δέ τοι πρῶτον μὲν ἐγείνατο ἶσον ἑωυτῇ
Οὐρανὸν ἀστερόενθ', ἵνα μιν περὶ πᾶσαν ἐέργοι,
ὄφρ' εἴη μακάρεσσι θεοῖς ἕδος ἀσφαλὲς αἰεί.
Γείνατο δ' Οὔρεα μακρά, θεᾶν χαρίεντας ἐναύλους
Νυμφέων, αἳ ναίουσιν ἀν' οὔρεα βησσήεντα.   130
Ἥ δὲ καὶ ἀτρύγετον πέλαγος τέκεν, οἴδματι θυῖον,
Πόντον, ἄτερ φιλότητος ἐφιμέρου· αὐτὰρ ἔπειτα
Οὐρανῷ εὐνηθεῖσα τέκ' Ὠκεανὸν βαθυδίνην
Κοῖόν τε Κρεῖόν θ' Ὑπερίονά τ' Ἰαπετόν τε
Θείαν τε Ῥείαν τε Θέμιν τε Μνημοσύνην τε   135
Φοίβην τε χρυσοστέφανον Τηθύν τ' ἐρατεινήν.
Τοὺς δὲ μέθ' ὁπλότατος γένετο Κρόνος ἀγκυλομήτης,
δεινότατος παίδων· θαλερὸν δ' ἤχθηρε τοκῆα.
Γείνατο δ' αὖ Κύκλωπας ὑπέρβιον ἦτορ ἔχοντας,
Βρόντην τε Στερόπην τε καὶ Ἄργην ὀβριμόθυμον,   140
οἳ Ζηνὶ βροντήν τε δόσαν τεῦξάν τε κεραυνόν.
Οἳ δή τοι τὰ μὲν ἄλλα θεοῖς ἐναλίγκιοι ἦσαν,
[μοῦνος δ' ὀφθαλμὸς μέσσῳ ἐνέκειτο μετώπῳ.]
Κύκλωπες δ' ὄνομ' ἦσαν ἐπώνυμον, οὕνεκ' ἄρα σφέων
κυκλοτερὴς ὀφθαλμὸς ἕεις ἐνέκειτο μετώπῳ·   145
ἰσχύς τ' ἠδὲ βίη καὶ μηχαναὶ ἦσαν ἐπ' ἔργοις.

Os deles nascidos Deuses doadores de bens
como dividiram a opulência e repartiram as honras
e como no começo tiveram o rugoso Olimpo.
Dizei-me isto, Musas que tendes o palácio olímpio,
dês o começo e quem dentre eles primeiro nasceu.   115

[*Os Deuses primordiais*]

Sim bem primeiro nasceu Caos, depois também
Terra de amplo seio, de todos sede irresvalável sempre,
dos imortais que têm a cabeça do Olimpo nevado,
e Tártaro nevoento no fundo do chão de amplas vias,
e Eros: o mais belo entre Deuses imortais,   120
solta-membros, dos Deuses todos e dos homens todos
ele doma no peito o espírito e a prudente vontade.
Do Caos Érebos e Noite negra nasceram.
Da Noite aliás Éter e Dia nasceram,
gerou-os fecundada unida a Érebos em amor.   125
Terra primeiro pariu igual a si mesma
Céu constelado, para cercá-la toda ao redor
e ser aos Deuses venturosos sede irresvalável sempre.
Pariu altas Montanhas, belos abrigos das Deusas
ninfas que moram nas montanhas frondosas.   130
E pariu a infecunda planície impetuosa de ondas
o Mar, sem o desejoso amor. Depois pariu
do coito com Céu: Oceano de fundos remoinhos
e Coios e Crios e Hipérion e Jápeto
e Téia e Réia e Têmis e Memória   135
e Febe de áurea coroa e Tétis amorosa.
E após com ótimas armas Crono de curvo pensar,
filho o mais terrível: detestou o florescente pai.
Pariu ainda os Ciclopes de soberbo coração:
Trovão, Relâmpago e Arges de violento ânimo   140
que a Zeus deram o trovão e forjaram o raio.
Eles no mais eram comparáveis aos Deuses,
único olho bem no meio repousava na fronte.
Ciclopes denominava-os o nome, porque neles
circular olho sozinho repousava na fronte.   145
Vigor, violência e engenho possuíam na ação.

Ἄλλοι δ' αὖ Γαίης τε καὶ Οὐρανοῦ ἐξεγένοντο
τρεῖς παῖδες μεγάλοι ⟨τε⟩ καὶ ὄβριμοι, οὐκ ὀνομαστοί,
Κόττος τε Βριάρεώς τε Γύγης θ', ὑπερήφανα τέκνα.
Τῶν ἑκατὸν μὲν χεῖρες ἀπ' ὤμων ἀίσσοντο   150
ἄπλαστοι, κεφαλαὶ δὲ ἑκάστῳ πεντήκοντα
ἐξ ὤμων ἐπέφυκον ἐπὶ στιβαροῖσι μέλεσσιν,
ἰσχὺς τ' ἄπλητος κρατερὴ μεγάλῳ ἐπὶ εἴδει.

Ὅσσοι γὰρ Γαίης τε καὶ Οὐρανοῦ ἐξεγένοντο,
δεινότατοι παίδων, σφετέρῳ δ' ἤχθοντο τοκῆι   155
ἐξ ἀρχῆς· καὶ τῶν μὲν ὅπως τις πρῶτα γένοιτο,
πάντας ἀποκρύπτασκε, καὶ ἐς φάος οὐκ ἀνίεσκε,
Γαίης ἐν κευθμῶνι, κακῷ δ' ἐπετέρπετο ἔργῳ
Οὐρανός· ἣ δ' ἐντὸς στοναχίζετο Γαῖα πελώρη
στεινομένη, δολίην δὲ κακὴν ἐφράσσατο τέχνην.   160
Αἶψα δὲ ποιήσασα γένος πολιοῦ ἀδάμαντος,
τεῦξε μέγα δρέπανον καὶ ἐπέφραδε παισὶ φίλοισιν·
εἶπε δὲ θαρσύνουσα, φίλον τετιημένη ἦτορ·
"Παῖδες ἐμοὶ καὶ πατρὸς ἀτασθάλου, αἴ κ' ἐθέλητε
πείθεσθαι, πατρός γε κακὴν τεισαίμεθα λώβην   165
ὑμετέρου· πρότερος γὰρ ἀεικέα μήσατο ἔργα."
   Ὣς φάτο· τοὺς δ' ἄρα πάντας ἕλεν δέος, οὐδέ τις αὐτῶν
φθέγξατο. Θαρσήσας δὲ μέγας Κρόνος ἀγκυλομήτης
αἶψ' αὖτις μύθοισι προσηύδα μητέρα κεδνήν·
"Μῆτερ, ἐγώ κεν τοῦτό γ' ὑποσχόμενος τελέσαιμι   170
ἔργον, ἐπεὶ πατρός γε δυσωνύμου οὐκ ἀλεγίζω
ἡμετέρου· πρότερος γὰρ ἀεικέα μήσατο ἔργα".
   Ὣς φάτο· γήθησεν δὲ μέγα φρεσὶ Γαῖα πελώρη·
εἶσε δέ μιν κρύψασα λόχῳ· ἐνέθηκε δὲ χερσὶν
ἅρπην καρχαρόδοντα, δόλον δ' ὑπεθήκατο πάντα.   175
Ἦλθε δὲ νύκτ' ἐπάγων μέγας Οὐρανός, ἀμφὶ δὲ Γαίῃ
ἱμείρων φιλότητος ἐπέσχετο καί ῥ' ἐτανύσθη
πάντῃ· ὃ δ' ἐκ λοχέοιο πάις ὠρέξατο χειρὶ
σκαιῇ, δεξιτερῇ δὲ πελώριον ἔλλαβεν ἅρπην,
μακρὴν καρχαρόδοντα, φίλου δ' ἀπὸ μήδεα πατρὸς   180
ἐσσυμένως ἤμησε, πάλιν δ' ἔρριψε φέρεσθαι
ἐξοπίσω· τὰ μὲν οὔ τι ἐτώσια ἔκφυγε χειρός·

Outros ainda da Terra e do Céu nasceram,
três filhos enormes, violentos, não nomeáveis.
Coto, Briareu e Giges, assombrosos filhos.
Deles, eram cem braços que saltavam dos ombros,   150
improximáveis; cabeças de cada um cinqüenta
brotavam dos ombros, sobre os grossos membros.
Vigor sem limite, poderoso na enorme forma.

[História do Céu e de Crono]

Quantos da Terra e do Céu nasceram,
filhos os mais temíveis, detestava-os o pai   155
dês o começo: tão logo cada um deles nascia
a todos ocultava, à luz não os permitindo,
na cova da Terra. Alegrava-se na maligna obra
o Céu. Por dentro gemia a Terra prodigiosa
atulhada, e urdiu dolosa e maligna arte.   160
Rápida criou o gênero do grisalho aço,
forjou grande podão e indicou aos filhos.
Disse com ousadia, ofendida no coração:
"Filhos meus e do pai estólido, se quiserdes
ter-me fé, puniremos o maligno ultraje de vosso   165
pai, pois ele tramou antes obras indignas".
    Assim falou e a todos reteve o terror, ninguém
vozeou. Ousado o grande Crono de curvo pensar
devolveu logo as palavras à mãe cuidadosa:
"Mãe, isto eu prometo e cumprirei   170
a obra, porque nefando não me importa o nosso
pai, pois ele tramou antes obras indignas".
    Assim falou. Exultou nas entranhas Terra prodigiosa,
colocou-o oculto em tocaia, pôs-lhe nas mãos
a foice dentada e inculcou-lhe todo o ardil.   175
Veio com a noite o grande Céu, ao redor da Terra
desejando amor sobrepairou e estendeu-se
a tudo. Da tocaia o filho alcançou com a mão
esquerda, com a destra pegou a prodigiosa foice
longa e dentada. E do pai o pênis   180
ceifou com ímpeto e lançou-o a esmo
para trás. Mas nada inerte escapou da mão:

ὅσσαι γὰρ ῥαθάμιγγες ἀπέσσυθεν αἱματόεσσαι,
πάσας δέξατο Γαῖα· περιπλομένου δ' ἐνιαυτοῦ
γείνατ' Ἐρινῦς τε κρατερὰς μεγάλους τε Γίγαντας,   185
τεύχεσι λαμπομένους, δολίχ' ἔγχεα χερσὶν ἔχοντας,
Νύμφας θ' ἃς Μελίας καλέουσ' ἐπ' ἀπείρονα γαῖαν.
Μήδεα δ' ὡς τὸ πρῶτον ἀποτμήξας ἀδάμαντι
κάββαλ' ἀπ' ἠπείροιο πολυκλύστῳ ἐνὶ πόντῳ,
ὣς φέρετ' ἂμ πέλαγος πουλὺν χρόνον· ἀμφὶ δὲ λευκὸς   190
ἀφρὸς ἀπ' ἀθανάτου χροὸς ὤρνυτο· τῷ δ' ἔνι κούρη
ἐθρέφθη· πρῶτον δὲ Κυθήροισι ζαθίοισιν
ἔπλητ', ἔνθεν ἔπειτα περίρρυτον ἵκετο Κύπρον.
Ἐκ δ' ἔβη αἰδοίη καλὴ θεός, ἀμφὶ δὲ ποίη
ποσσὶν ὑπὸ ῥαδινοῖσιν ἀέξετο· τὴν δ' Ἀφροδίτην   195
[ἀφρογενέα τε θεὰν καὶ ἐυστέφανον Κυθέρειαν]
κικλήσκουσι θεοί τε καὶ ἀνέρες, οὕνεκ' ἐν ἀφρῷ
θρέφθη· ἀτὰρ Κυθέρειαν, ὅτι προσέκυρσε Κυθήροις·
Κυπρογενέα δ', ὅτι γέντο περικλύστῳ ἐνὶ Κύπρῳ
[ἠδὲ φιλομμηδέα, ὅτι μηδέων ἐξεφαάνθη].   200
Τῇ δ' Ἔρος ὡμάρτησε καὶ Ἵμερος ἕσπετο καλὸς
γεινομένῃ τὰ πρῶτα θεῶν τ' ἐς φῦλον ἰούσῃ.
Ταύτην δ' ἐξ ἀρχῆς τιμὴν ἔχει ἠδὲ λέλογχε
μοῖραν ἐν ἀνθρώποισι καὶ ἀθανάτοισι θεοῖσι,
παρθενίους τ' ὀάρους μειδήματά τ' ἐξαπάτας τε   205
τέρψιν τε γλυκερὴν φιλότητά τε μειλιχίην τε.
    Τοὺς δὲ πατὴρ Τιτῆνας ἐπίκλησιν καλέεσκε
παῖδας νεικείων μέγας Οὐρανὸς οὓς τέκεν αὐτός·
φάσκε δὲ τιταίνοντας ἀτασθαλίῃ μέγα ῥέξαι
ἔργον, τοῖο δ' ἔπειτα τίσιν μετόπισθεν ἔσεσθαι.   210

    Νὺξ δ' ἔτεκε στυγερόν τε Μόρον καὶ Κῆρα μέλαιναν
καὶ Θάνατον, τέκε δ' Ὕπνον, ἔτικτε δὲ φῦλον Ὀνείρων.
δεύτερον αὖ Μῶμον καὶ Ὀιζὺν ἀλγινόεσσαν   214
οὔ τινι κοιμηθεῖσα θεὰ τέκε Νὺξ ἐρεβεννή,   213
Ἑσπερίδας θ', αἷς μῆλα πέρην κλυτοῦ Ὠκεανοῖο   215
χρύσεα καλὰ μέλουσι φέροντά τε δένδρεα καρπόν·
καὶ Μοίρας καὶ Κῆρας ἐγείνατο νηλεοποίνους,
[Κλωθώ τε Λάχεσίν τε καὶ Ἄτροπον, αἵ τε βροτοῖσι

quantos salpicos respingaram sangüíneos
a todos recebeu-os a Terra; com o girar do ano
gerou as Erínias duras, os grandes Gigantes   185
rútilos nas armas, com longas lanças nas mãos,
e Ninfas chamadas Freixos sobre a terra infinita.
O pênis, tão logo cortando-o com o aço
atirou do continente no undoso mar,
aí muito boiou na planície, ao redor branca   190
espuma da imortal carne ejaculava-se, dela
uma virgem criou-se. Primeiro Citera divina
atingiu, depois foi à circunfluída Chipre
e saiu veneranda bela Deusa, ao redor relva
crescia sob esbeltos pés. A ela. Afrodite   195
Deusa nascida de espuma e bem-coroada Citeréia
apelidam homens e Deuses, porque da espuma
criou-se e Citeréia porque tocou Citera,
Cípria porque nasceu na undosa Chipre,
e Amor-do-pênis porque saiu do pênis à luz.   200
Eros acompanhou-a, Desejo seguiu-a belo,
tão logo nasceu e foi para a grei dos Deuses.
Esta honra tem dês o começo e na partilha
obteve entre homens e Deuses imortais
as conversas de moças, os sorrisos, os enganos,   205
o doce gozo, o amor e a meiguice.
　　O pai com o apelido de Titãs apelidou-os:
o grande Céu vituperando filhos que gerou
dizia terem feito, na altiva estultícia,
grã obra de que castigo teriam no porvir.   210

[Os filhos da Noite]

　　Noite pariu hediondo Lote, Sorte negra
e Morte, pariu Sono e pariu a grei de Sonhos.
A seguir Escárnio e Miséria cheia de dor.   214
Com nenhum conúbio divina pariu-os Noite trevosa.   213
As Hespérides que vigiam além do ínclito Oceano   215
belas maçãs de ouro e as árvores frutiferantes
pariu e as Partes e as Sortes que punem sem dó:
Fiandeira, Distributriz e Inflexível que aos mortais

γεινομένοισι διδοῦσιν ἔχειν ἀγαθόν τε κακόν τε,]
αἵ τ' ἀνδρῶν τε θεῶν τε παραιβασίας ἐφέπουσιν, 220
οὐδέ ποτε λήγουσι θεαὶ δεινοῖο χόλοιο
πρίν γ' ἀπὸ τῷ δώωσι κακὴν ὄπιν ὅστις ἁμάρτῃ.
Τίκτε δὲ καὶ Νέμεσιν, πῆμα θνητοῖσι βροτοῖσι,
Νὺξ ὀλοή· μετὰ τὴν δ' Ἀπάτην τέκε καὶ Φιλότητα
Γῆράς τ' οὐλόμενον, καὶ Ἔριν τέκε καρτερόθυμον. 225
Αὐτὰρ Ἔρις στυγερὴ τέκε μὲν Πόνον ἀλγινόεντα
Λήθην τε Λιμόν τε καὶ Ἄλγεα δακρυόεντα
Ὑσμίνας τε Μάχας τε Φόνους τ' Ἀνδροκτασίας τε
Νείκεά τε Ψευδεά τε Λόγους τ' Ἀμφιλλογίας τε
Δυσνομίην τ' Ἄτην τε, συνήθεας ἀλλήλῃσιν, 230
Ὅρκον θ', ὃς δὴ πλεῖστον ἐπιχθονίους ἀνθρώπους
πημαίνει, ὅτε κέν τις ἑκὼν ἐπίορκον ὀμόσσῃ.

Νηρέα δ' ἀψευδέα καὶ ἀληθέα γείνατο Πόντος,
πρεσβύτατον παίδων· αὐτὰρ καλέουσι γέροντα,
οὕνεκα νημερτής τε καὶ ἤπιος, οὐδὲ θεμίστων 235
λήθεται, ἀλλὰ δίκαια καὶ ἤπια δήνεα οἶδεν·
αὖτις δ' αὖ Θαύμαντα μέγαν καὶ ἀγήνορα Φόρκυν
Γαίῃ μισγόμενος καὶ Κητὼ καλλιπάρηον
Εὐρυβίην τ' ἀδάμαντος ἐνὶ φρεσὶ θυμὸν ἔχουσαν.
Νηρῆος δ' ἐγένοντο μεγήριτα τέκνα θεάων 240
πόντῳ ἐν ἀτρυγέτῳ καὶ Δωρίδος ἠυκόμοιο,
κούρης Ὠκεανοῖο, τελήεντος ποταμοῖο,
Πρωτώ τ' Εὐκράντη τε Σαώ τ' Ἀμφιτρίτη τε
Εὐδώρη τε Θέτις τε Γαλήνη τε Γλαύκη τε,
Κυμοθόη Σπειώ τε Θόη θ' Ἁλίη τ' ἐρόεσσα 245
Πασιθέη τ' Ἐρατώ τε καὶ Εὐνίκη ῥοδόπηχυς
καὶ Μελίτη χαρίεσσα καὶ Εὐλιμένη καὶ Ἀγαυὴ
Δωτώ τε Πρωτώ τε Φέρουσά τε Δυναμένη τε
Νησαίη τε καὶ Ἀκταίη καὶ Πρωτομέδεια,
Δωρὶς καὶ Πανόπη καὶ εὐειδὴς Γαλάτεια 250
Ἱπποθόη τ' ἐρόεσσα καὶ Ἱππονόη ῥοδόπηχυς
Κυμοδόκη θ', ἣ κύματ' ἐν ἠεροειδέι πόντῳ
πνοιάς τε ζαέων ἀνέμων σὺν Κυματολήγῃ
ῥεῖα πρηΰνει καὶ ἐυσφύρῳ Ἀμφιτρίτῃ,

tão logo nascidos dão os haveres de bem e de mal,
elas perseguem transgressões de homens e Deuses   220
e jamais repousam as Deusas da terrível cólera
até que dêem com o olho maligno naquele que erra.
Pariu ainda Nêmesis ruína dos perecíveis mortais
a Noite funérea. Depois pariu Engano e Amor
e Velhice funesta e pariu Éris de ânimo cruel.   225
Éris hedionda pariu Fadiga cheia de dor,
Olvido, Fome e Dores cheias de lágrimas,
Batalhas, Combates, Massacres e Homicídios,
Litígios, Mentiras, Falas e Disputas,
Desordem e Derrota conviventes uma da outra,   230
e Juramento, que aos sobreterrâneos homens
muito arruína quando alguém adrede perjura.

[A linhagem do Mar]

O Mar gerou Nereu sem mentira nem olvido,
filho o mais velho, também o chamam Ancião
porque infalível e bom, nem os preceitos   235
olvida mas justos e bons desígnios conhece.
Amante da Terra gerou também o grande Espanto
e o viril Fórcis e Ceto de belas faces
e Euríbia que nas entranhas tem ânimo de aço.
De Nereu nasceram filhas rivais de Deusas   240
no mar infecundo. Dádiva de belos cabelos
virgem do Oceano, rio circular, gerou-as:
Primeira, Eficácia, Salvante, Anfitrite,
Doadora, Tétis, Bonança, Glauca,
Ondaveloz, Gruta, Veloz, Marina amável,   245
Onidéia, Amorosa, Vitória de róseos braços,
Melita graciosa, Portuária, Esplendente,
Dadivosa, Primeira, Portadora, Potente,
Ilhéia, Recife, Rainhaprima,
Dádiva, Onividente, formosa Galatéia,   250
Eguaveloz amável, Égua-sagaz de róseos braços,
Pega-onda que apazigua no mar cor de névoa
facilmente a onda e o sopro de fortes ventos
com Aplana-onda e Anfitrite de belos tornozelos,

Κυμώ τ' Ἰόνη τε ἐυστέφανός θ' Ἀλιμήδη   255
Γλαυκονόμη τε φιλομμειδὴς καὶ Ποντοπόρεια
Λειαγόρη τε καὶ Εὐαγόρη καὶ Λαομέδεια
Πουλυνόη τε καὶ Αὐτονόη καὶ Λυσιάνασσα
Εὐάρνη τε φυήν τ' ἐρατὴ καὶ εἶδος ἄμωμος
καὶ Ψαμάθη χαρίεσσα δέμας δίη τε Μενίππη   260
Νησώ τ' Εὐπόμπη τε Θεμιστώ τε Προνόη τε
Νημερτής θ', ἢ πατρὸς ἔχει νόον ἀθανάτοιο.
Αὗται μὲν Νηρῆος ἀμύμονος ἐξεγένοντο
κοῦραι πεντήκοντα, ἀμύμονα ἔργα ἰδυῖαι.
    Θαύμας δ' Ὠκεανοῖο βαθυρρείταο θύγατρα   265
ἠγάγετ' Ἠλέκτρην· ἣ δ' ὠκεῖαν τέκεν Ἶριν
ἠυκόμους θ' Ἁρπυίας Ἀελλώ τ' Ὠκυπέτην τε,
αἵ ῥ' ἀνέμων πνοιῇσι καὶ οἰωνοῖς ἅμ' ἕπονται
ὠκείῃς πτερύγεσσι· μεταχρόνιαι γὰρ ἴαλλον.
    Φόρκυϊ δ' αὖ Κητὼ Γραίας τέκε καλλιπαρήους   270
ἐκ γενετῆς πολιάς, τὰς δὴ Γραίας καλέουσιν
ἀθάνατοί τε θεοὶ χαμαὶ ἐρχόμενοί τ' ἄνθρωποι,
Πεμφρηδώ τ' ἐύπεπλον Ἐνυώ τε κροκόπεπλον,
Γοργούς θ', αἳ ναίουσι πέρην κλυτοῦ Ὠκεανοῖο
ἐσχατιῇ πρὸς νυκτός, ἵν' Ἑσπερίδες λιγύφωνοι,   275
Σθεννώ τ' Εὐρυάλη τε Μέδουσά τε λυγρὰ παθοῦσα.
Ἡ μὲν ἔην θνητή, αἱ δ' ἀθάνατοι καὶ ἀγήρῳ,
αἱ δύο· τῇ δὲ μιῇ παρελέξατο Κυανοχαίτης
ἐν μαλακῷ λειμῶνι καὶ ἄνθεσιν εἰαρινοῖσιν.
Τῆς ὅτε δὴ Περσεὺς κεφαλὴν ἀπεδειροτόμησεν,   280
ἐξέθορε Χρυσάωρ τε μέγας καὶ Πήγασος ἵππος·
τῷ μὲν ἐπώνυμον ἦν ὅτ' ἄρ' Ὠκεανοῦ παρὰ πηγὰς
γένθ', ὃ δ' ἄορ χρύσειον ἔχων μετὰ χερσὶ φίλῃσιν.
Χὼ μὲν ἀποπτάμενος προλιπὼν χθόνα, μητέρα μήλων,
ἵκετ' ἐς ἀθανάτους· Ζηνὸς δ' ἐν δώμασι ναίει   285
βροντήν τε, στεροπήν τε φέρων Διὶ μητιόεντι.
Χρυσάωρ δ' ἔτεκε τρικέφαλον Γηρυονῆα
μιχθεὶς Καλλιρόῃ κούρῃ κλυτοῦ Ὠκεανοῖο.
Τὸν μὲν ἄρ' ἐξενάριξε βίη Ἡρακληείη
βουσὶ παρ' εἰλιπόδεσσι περιρρύτῳ εἰν Ἐρυθείῃ   290
ἤματι τῷ ὅτε περ βοῦς ἤλασεν εὐρυμετώπους
Τίρυνθ' εἰς ἱερήν, διαβὰς πόρον Ὠκεανοῖο
[Ὄρθον τε κτείνας καὶ βουκόλον Εὐρυτίωνα
σταθμῷ ἐν ἠερόεντι πέρην κλυτοῦ Ὠκεανοῖο].

116

Ondeia, Praia, a bem-coroada Rainhamarina, 255
Glaucapartilha sorridente, Travessia,
Reúne-gente, Reúne-bem, Rainha-das-gentes,
Multi-sagaz, Sagacidade, Rainha-solvente,
Pastora de amável talhe e perfeita beleza,
Arenosa de gracioso corpo, divina Eqüestre, 260
Ilhoa, Escolta, Preceitora, Previdência
e Infalível que do pai imortal tem o espírito.
Estas nasceram do irrepreensível Nereu,
cinqüenta virgens, sábias de ações irrepreensíveis.
 Espanto à filha do Oceano de profundo fluir 265
desposou, Ambarina. Ela pariu ligeira Íris
e Harpias de belos cabelos: Procela e Alígera
que a pássaros e rajadas de vento acompanham
com asas ligeiras, pois no abismo do ar se lançam.
 De Fórcis, Ceto gerou as Velhas de belas faces, 270
grisalhas de nascença, apelidaram-nas Velhas
Deuses imortais e homens caminhantes da terra:
Penfredo de véu perfeito e Ênio de véu açafrão.
Gerou Górgonas que habitam além do ínclito Oceano
os confins da noite (onde as Hespérides cantoras): 275
Esteno, Euríale e Medusa que sofreu o funesto,
era mortal, as outras imortais e sem velhice
ambas, mas com ela deitou-se o Crina-preta
no macio prado entre flores de primavera.
Dela, quando Perseu lhe decapitou o pescoço, 280
surgiram o grande Aurigládio e o cavalo Pégaso;
tem este nome porque ao pé das águas do Oceano
nasceu, o outro com o gládio de ouro nas mãos.
Voando ele abandonou a terra mãe de rebanhos
e foi aos imortais e habita o palácio de Zeus, 285
portador de trovão e relâmpago de Zeus sábio.
Aurigládio gerou Gerioneu de três cabeças
unindo-se a Belaflui virgem do ínclito Oceano.
E a Gerioneu matou-o a força de Héracles
perto dos bois sinuosos na circunfluída Eritéia 290
no dia em que tangeria os bois de ampla testa
para Tirinto sagrada após atravessar o Oceano
após matar Ortro e o vaqueiro Eurítion
no nevoento estábulo além do ínclito Oceano.

Ἣ δ' ἔτεκ' ἄλλο πέλωρον ἀμήχανον, οὐδὲν ἐοικὸς 295
θνητοῖς ἀνθρώποις οὐδ' ἀθανάτοισι θεοῖσιν,
σπῆι ἐνὶ γλαφυρῷ, θείην κρατερόφρον' Ἔχιδναν,
ἥμισυ μὲν νύμφην ἑλικώπιδα καλλιπάρηον,
ἥμισυ δ' αὖτε πέλωρον ὄφιν δεινόν τε μέγαν τε
αἰόλον ὠμηστήν, ζαθέης ὑπὸ κεύθεσι γαίης. 300
Ἔνθα δέ οἱ σπέος ἐστὶ κάτω κοίλῃ ὑπὸ πέτρῃ
τηλοῦ ἀπ' ἀθανάτων τε θεῶν θνητῶν τ' ἀνθρώπων·
ἔνθ' ἄρα οἱ δάσσαντο θεοὶ κλυτὰ δώματα ναίειν.
[Ἣ δ' ἔρυτ' εἰν Ἀρίμοισιν ὑπὸ χθόνα λυγρὴ Ἔχιδνα,
ἀθάνατος νύμφη καὶ ἀγήραος ἤματα πάντα. 305
Τῇ δὲ Τυφάονά φασι μιγήμεναι ἐν φιλότητι
δεινόν θ' ὑβριστήν τ' ἄνομόν θ' ἑλικώπιδι κούρῃ·
ἣ δ' ὑποκυσαμένη τέκετο κρατερόφρονα τέκνα.
Ὄρθον μὲν πρῶτον κύνα γείνατο Γηρυονῆι·
δεύτερον αὖτις ἔτικτεν ἀμήχανον οὔ τι φατειόν, 310
Κέρβερον ὠμηστήν, Ἀίδεω κύνα χαλκεόφωνον,
πεντηκοντακέφαλον, ἀναιδέα τε κρατερόν τε·
τὸ τρίτον Ὕδρην αὖτις ἐγείνατο λυγρὰ ἰδυῖαν
Λερναίην, ἣν θρέψε θεὰ λευκώλενος Ἥρη
ἄπλητον κοτέουσα βίῃ Ἡρακληείῃ. 315
Καὶ τὴν μὲν Διὸς υἱὸς ἐνήρατο νηλέι χαλκῷ
Ἀμφιτρυωνιάδης σὺν ἀρηιφίλῳ Ἰολάῳ
Ἡρακλέης βουλῇσιν Ἀθηναίης ἀγελείης.
Ἣ δὲ Χίμαιραν ἔτικτε πνέουσαν ἀμαιμάκετον πῦρ,
δεινήν τε μεγάλην τε ποδώκεά τε κρατερήν τε· 320
τῆς [δ'] ἦν τρεῖς κεφαλαί· μία μὲν χαροποῖο λέοντος,
ἣ δὲ χιμαίρης, ἣ δ' ὄφιος, κρατεροῖο δράκοντος.
Πρόσθε λέων, ὄπιθεν δὲ δράκων, μέσση δὲ χίμαιρα,
δεινὸν ἀποπνείουσα πυρὸς μένος αἰθομένοιο.
Τὴν μὲν Πήγασος εἷλε καὶ ἐσθλὸς Βελλεροφόντης. 325
Ἣ δ' ἄρα Φῖκ' ὀλοὴν τέκε Καδμείοισιν ὄλεθρον
Ὄρθῳ ὑποδμηθεῖσα Νεμειαῖόν τε λέοντα,
τόν ῥ' Ἥρη θρέψασα Διὸς κυδρὴ παράκοιτις
γουνοῖσιν κατένασσε Νεμείης, πῆμ' ἀνθρώποις·
ἔνθ' ἄρ' ὅ γ' οἰκείων ἐλεφαίρετο φῦλ' ἀνθρώπων, 330
κοιρανέων Τρητοῖο Νεμείης ἠδ' Ἀπέσαντος·
ἀλλά ἑ ἲς ἐδάμασσε βίης Ἡρακληείης.]
Κητὼ δ' ὁπλότατον Φόρκυι φιλότητι μιγεῖσα
γείνατο δεινὸν ὄφιν, ὃς ἐρεμνῆς κεύθεσι γαίης

118

Ela pariu outro incombatível prodígio nem par 295
a homens mortais nem a Deuses imortais
numa gruta cava: divina Víbora de ânimo cruel,
semininfa de olhos vivos e belas faces
e prodigiosa semi-serpente terrível e enorme,
cambiante carnívoro sob covil na divina terra. 300
Aí sua gruta lá embaixo está sob côncava pedra
longe dos Deuses imortais e dos homens mortais,
aí lhe deram os Deuses habitar ínclito palácio.
Em Árimos sob o chão reteve-se a lúgubre Víbora
ninfa imortal e sem velhice para sempre. 305
É fama que com ela Tífon uniu-se em amor,
terrível soberbo sem lei com a virgem de olhos vivos.
Ela fecundada pariu crias de ânimo cruel.
Gerou primeiro Ortro, cão de Gerioneu.
Depois pariu o incombatível e não nomeável 310
Cérbero carnívoro, cão de brônzea voz do Hades,
de cinqüenta cabeças, impudente e cruel.
A seguir gerou Hidra, sábia do que é funesto,
e em Lerna nutriu-a a Deusa de alvos braços Hera
por imenso rancor contra a força de Héracles; 315
matou-a o filho de Zeus com não piedoso bronze,
Héracles Anfitrionida, com o dileto de Ares
Iolau, por desígnios de Atena apresadora.
Ela pariu a Cabra que sopra irrepelível fogo,
a terrível e grande e de pés ligeiros e cruel, 320
tinha três cabeças: uma de leão de olhos rútilos,
outra de cabra, outra de víbora, cruel serpente.
Na frente leão, atrás serpente, no meio cabra,
expirando o terrível furor do fogo aceso.
Agarrou-a Pégaso e o bravo Belerofonte. 325
E ela pariu a funesta Fix, ruína dos cadmeus,
emprenhada por Ortro, pariu o Leão de Neméia
que Hera a ínclita esposa de Zeus nutriu
e abrigou nas colinas de Neméia, pena dos homens:
aí residindo destruía greis de homens 330
senhor de Treto e Apesanta em Neméia,
mas sucumbiu ao vigor da força de Héracles.
Unida a Fórcis em amor, Ceto gerou por fim
terrível Serpente que no covil da terra trevosa

πείρασιν ἐν μεγάλοις παγχρύσεα μῆλα φυλάσσει.   335
Τοῦτο μὲν ἐκ Κητοῦς καὶ Φόρκυνος γένος ἐστίν.

Τηθὺς δ' Ὠκεανῷ Ποταμοὺς τέκε δινήεντας,
Νεῖλόν τ' Ἀλφειόν τε καὶ Ἡριδανὸν βαθυδίνην,
Στρυμόνα Μαίανδρόν τε καὶ Ἴστρον καλλιρέεθρον
Φᾶσίν τε Ῥῆσόν τ' Ἀχελῶόν ⟨τ'⟩ ἀργυροδίνην   340
Νέσσον τε Ῥοδίον θ' Ἁλιάκμονά θ' Ἑπτάπορόν τε
Γρήνικόν τε καὶ Αἴσηπον θεῖόν τε Σιμοῦντα
Πηνειόν τε καὶ Ἕρμον ἐυρρείτην τε Κάικον
Σαγγάριόν τε μέγαν Λάδωνά τε Παρθένιόν τε
Εὔηνόν τε καὶ Ἄρδησκον θεῖόν τε Σκάμανδρον.   345
Τίκτε δὲ θυγατέρων ἱερὸν γένος, αἳ κατὰ γαῖαν
ἄνδρας κουρίζουσι σὺν Ἀπόλλωνι ἄνακτι
καὶ Ποταμοῖς, ταύτην δὲ Διὸς πάρα μοῖραν ἔχουσι,
Πειθώ τ' Ἀδμήτη τε Ἰάνθη τ' Ἠλέκτρη τε
Δωρίς τε Πρυμνώ τε καὶ Οὐρανίη θεοειδὴς   350
Ἱππώ τε Κλυμένη τε Ῥόδειά τε Καλλιρόη τε
Ζευξώ τε Κλυτίη τε Ἰδυῖά τε Πεισιθόη τε
Πληξαύρη τε Γαλαξαύρη τ' ἐρατή τε Διώνη
Μηλόβοσίς τε Θόη τε καὶ εὐειδὴς Πολυδώρη
Κερκηίς τε φυὴν ἐρατὴ Πλουτώ τε βοῶπις   355
Περσηίς τ' Ἰάνειρά τ' Ἀκάστη τε Ξάνθη τε
Πετραίη τ' ἐρόεσσα Μενεσθώ τ' Εὐρώπη τε
Μῆτίς τ' Εὐρυνόμη τε Τελεστώ τε κροκόπεπλος
Χρυσηίς τ' Ἀσίη τε καὶ ἱμερόεσσα Καλυψὼ
Εὐδώρη τε Τύχη τε καὶ Ἀμφιρὼ Ὠκυρόη τε   360
καὶ Στύξ, ἣ δή σφεων προφερεστάτη ἐστὶν ἁπασέων.
Αὗται δ' Ὠκεανοῦ καὶ Τηθύος ἐξεγένοντο
πρεσβύταται κοῦραι· πολλαί γε μέν εἰσι καὶ ἄλλαι·
τρὶς γὰρ χίλιαί εἰσι τανίσφυροι Ὠκεανῖναι,
αἵ ῥα πολυσπερέες γαῖαν καὶ βένθεα λίμνης   365
πάντη ὁμῶς ἐφέπουσι, θεάων ἀγλαὰ τέκνα.
Τόσσοι δ' αὖθ' ἕτεροι ποταμοὶ καναχηδὰ ῥέοντες,
υἱέες Ὠκεανοῦ, τοὺς γείνατο πότνια Τηθύς.
Τῶν ὄνομ' ἀργαλέον πάντων βροτὸν ἄνδρα ἐνισπεῖν,
οἳ δὲ ἕκαστα ἴσασιν ὅσοι ἂν περιναιετάωσιν.   370

120

nas grandes fronteiras guarda maçãs de ouro. 335
Esta é a geração de Ceto e de Fórcis.

[*A linhagem do Céu*]

Tétis gerou de Oceano os rios rodopiantes:
Nilo, Alfeu, Erídano de rodopios profundos,
Estrímon, Meandro, Istro de belo fluir,
Fase, Reso, Aquelôo de rodopios de prata, 340
Nesso, Ródio, Haliácmon, Sete-bocas,
Granico, Esepo, Simoente divino,
Peneu, Hermo, Caico bem-fluente,
Sangário grande, Ládon, Partênio,
Eveno, Ardesco e Escamandro divino. 345
E pariu a sagrada geração de filhas
que pela terra adolescem homens com Apolo rei
e com os Rios e que têm de Zeus esta honra:
Persuasiva, Virgínea, Violeta, Ambarina
Dádiva, Popa, Celeste de divina aparência, 350
Eqüina, Clímene, Rósea, Belaflui,
Núpcia, Clítia, Sábia, Persuasora,
Plexaura, Galaxaura, amável Dione,
Pecuária, Veloz, formosa Polidora,
Tecelã de amável talhe, Riqueza de olhos bovinos, 355
Perseida, Ianeira, Acaste, Loira
Pétrea amorosa, Resistência, Europa,
Astúcia, Eurínome, Concludente de véu açafrão,
Áurea, Ásia, amorosa Calipso,
Doadora, Acaso, Circunflui, Velozflui 360
e Estige que dentre todas vem à frente.
Estas nasceram de Oceano e de Tétis
filhas mais velhas: há muitas outras ainda,
há três mil Oceaninas de finos tornozelos
que dispersas percorrem terra e águas profundas 365
por igual e de todo, crias magníficas entre Deusas.
Outros rios que fluem fragorosos são tantos
filhos de Oceano, gerou-os Tétis soberana.
De todos é difícil a um mortal dizer o nome,
a cada um conhece quem habita à sua beira. 370

121

Θεία δ' Ἠέλιόν τε μέγαν λαμπράν τε Σελήνην
Ἠῶ θ', ἣ πάντεσσιν ἐπιχθονίοισι φαείνει
ἀθανάτοις τε θεοῖσι τοὶ οὐρανὸν εὐρὺν ἔχουσι,
γείναθ' ὑποδμηθεῖσ' Ὑπερίονος ἐν φιλότητι.
Κρείῳ δ' Εὐρυβίη τέκεν ἐν φιλότητι μιγεῖσα   375
Ἀστραῖόν τε μέγαν Πάλλαντά τε, δῖα θεάων,
Πέρσην θ', ὃς καὶ πᾶσι μετέπρεπεν ἰδμοσύνῃσιν.
Ἀστραίῳ δ' Ἠὼς ἀνέμους τέκε καρτεροθύμους,
ἀργεστὴν Ζέφυρον Βορέην τ' αἰψηροκέλευθον
καὶ Νότον, ἐν φιλότητι θεὰ θεῷ εὐνηθεῖσα·   380
τοὺς δὲ μέτ' ἀστέρα τίκτεν Ἑωσφόρον Ἠριγένεια
ἄστρα τε λαμπετόωντα τά τ' οὐρανὸς ἐστεφάνωται.
Στὺξ δ' ἔτεκ' Ὠκεανοῦ θυγάτηρ Πάλλαντι μιγεῖσα
Ζῆλον καὶ Νίκην καλλίσφυρον ἐν μεγάροισιν,
καὶ Κράτος ἠδὲ Βίην ἀριδείκετα γείνατο τέκνα.   385
Τῶν οὐκ ἔστ' ἀπάνευθε Διὸς δόμος, οὐδέ τις ἕδρη
οὐδ' ὁδὸς ὅππη μὴ κείνοις θεὸς ἡγεμονεύει,
ἀλλ' αἰεὶ πὰρ Ζηνὶ βαρυκτύπῳ ἑδριόωνται.
Ὣς γὰρ ἐβούλευσε Στὺξ ἄφθιτος Ὠκεανίνη
ἤματι τῷ ὅτε πάντας Ὀλύμπιος ἀστεροπητὴς   390
ἀθανάτους ἐκάλεσσε θεοὺς ἐς μακρὸν Ὄλυμπον,
εἶπε δ', ὃς ἂν μετὰ εἷο θεῶν Τιτῆσι μάχοιτο,
μή τιν' ἀπορραίσειν γεράων, τιμὴν δὲ ἕκαστον
ἑξέμεν ἣν τὸ πάρος γε μετ' ἀθανάτοισι θεοῖσιν·
τὸν δ' ἔφαθ' ὅστις ἄτιμος ὑπὸ Κρόνου ἠδ' ἀγέραστος 395
τιμῆς καὶ γεράων ἐπιβησέμεν, ἣ θέμις ἐστίν.
Ἦλθε δ' ἄρα πρώτη Στὺξ ἄφθιτος Οὐλυμπόνδε
σὺν σφοῖσιν παίδεσσι φίλου διὰ μήδεα πατρός·
τὴν δὴ Ζεὺς τίμησε, περισσὰ δὲ δῶρα ἔδωκεν·
αὐτὴν μὲν γὰρ ἔθηκε θεῶν μέγαν ἔμμεναι ὅρκον,   400
παῖδας δ' ἤματα πάντα ἑοῦ μεταναιέτας εἶναι.
Ὣς δ' αὔτως πάντεσσι διαμπερὲς ὥς περ ὑπέστη
ἐξετέλεσσ'· αὐτὸς δὲ μέγα κρατεῖ ἠδὲ ἀνάσσει.

Φοίβη δ' αὖ Κοίου πολυήρατον ἦλθεν ἐς εὐνήν·
κυσαμένη δήπειτα θεὰ θεοῦ ἐν φιλότητι   405
Λητὼ κυανόπεπλον ἐγείνατο, μείλιχον αἰεί,

Téia gerou o grande Sol, a Lua brilhante
e Aurora que brilha a todos os sobreterrâneos
e aos Deuses imortais que têm o céu amplo,
gerou-os submetida a Hipérion em amor.
Euríbia unida a Crios em amor gerou   375
divina entre Deusas: o grande Astreu, Palas
e Perses distinto de todos pela sabedoria.
Aurora gerou de Astreu ventos de ânimo violento,
Zéfiro clareante, Bóreas de veloz caminhada
e Notos, no coito amoroso a Deusa com o Deus,   380
e após aurorante pariu a Estrela da Manhã
e os astros brilhantes de que o céu se coroa.
Estige filha do Oceano unida a Palas
no palácio pariu Zelo e Vitória de belos tornozelos
e pariu Poder e Violência, insignes filhos.   385
Longe deles não há morada de Zeus nem pouso
nem percurso por onde o Deus não os guie
mas sempre perto de Zeus gravitroante repousam.
Assim decidiu Estige imperecível Oceanina
no dia em que o Olímpio relampeante a todos   390
os imortais conclamou ao alto Olimpo,
e disse quem dos Deuses combatesse com ele os Titãs
ele não o privaria dos prêmios e cada honra
manteria como antes entre os Deuses imortais,
e que o não-honrado sob Crono e sem-prêmios   395
honra e prêmio alcançaria, como é justiça.
E veio primeiro Estige imperecível ao Olimpo
com os filhos, por desígnios de seu pai;
honrou-a Zeus e supremos dons lhe deu:
fez dela própria o grande juramento dos Deuses   400
e seus filhos para sempre residirem com ele.
Assim para todos inteiramente como prometeu
cumpriu, ele próprio tem grande poder e reina.

[*Hino a Hécate*]

Febe entrou no amoroso leito de Coios
e fecundou a Deusa o Deus em amor,   405
ela gerou Leto de negro véu, a sempre doce,

ἤπιον ἀνθρώποισι καὶ ἀθανάτοισι θεοῖσιν,
μείλιχον ἐξ ἀρχῆς, ἀγανώτατον ἐντὸς Ὀλύμπου.
Γείνατο δ' Ἀστερίην εὐώνυμον, ἣν ποτε Πέρσης
ἠγάγετ' ἐς μέγα δῶμα φίλην κεκλῆσθαι ἄκοιτιν.   410
Ἣ δ' ὑποκυσαμένη Ἑκάτην τέκε, τὴν περὶ πάντων
Ζεὺς Κρονίδης τίμησε, πόρεν δέ οἱ ἀγλαὰ δῶρα,
μοῖραν ἔχειν γαίης τε καὶ ἀτρυγέτοιο θαλάσσης.
Ἣ δὲ καὶ ἀστερόεντος ἀπ' οὐρανοῦ ἔμμορε τιμῆς,
ἀθανάτοις τε θεοῖσι τετιμένη ἐστὶ μάλιστα.   415
Καὶ γὰρ νῦν, ὅτε πού τις ἐπιχθονίων ἀνθρώπων
ἔρδων ἱερὰ καλὰ κατὰ νόμον ἱλάσκηται,
κικλήσκει Ἑκάτην· πολλή τέ οἱ ἕσπετο τιμὴ
ῥεῖα μάλ', ᾧ πρόφρων γε θεὰ ὑποδέξεται εὐχάς·
καί τέ οἱ ὄλβον ὀπάζει, ἐπεὶ δύναμίς γε πάρεστιν.   420
Ὅσσοι γὰρ Γαίης τε καὶ Οὐρανοῦ ἐξεγένοντο
καὶ τιμὴν ἔλαχον, τούτων ἔχει αἶσαν ἁπάντων·
οὐδέ τί μιν Κρονίδης ἐβιήσατο οὐδέ τ' ἀπηύρα
ὅσσ' ἔλαχεν Τιτῆσι μετὰ προτέροισι θεοῖσιν,
ἀλλ' ἔχει ὡς τὸ πρῶτον ἀπ' ἀρχῆς ἔπλετο δασμός.   425
Οὐδ', ὅτι μουνογενής, ἧσσον θεὰ ἔμμορε τιμῆς,
[καὶ γέρας ἐν γαίῃ τε καὶ οὐρανῷ ἠδὲ θαλάσσῃ,]
ἀλλ' ἔτι καὶ πολὺ μᾶλλον, ἐπεὶ Ζεὺς τίεται αὐτήν.
Ὧι δ' ἐθέλῃ, μεγάλως παραγίνεται ἠδ' ὀνίνησιν·   429
ἔν τε δίκῃ βασιλεῦσι παρ' αἰδοίοισι καθίζει,   434
ἔν τ' ἀγορῇ λαοῖσι μεταπρέπει ὅν κ' ἐθέλῃσιν·   430
ἠδ' ὁπότ' ἐς πόλεμον φθισήνορα θωρήσσωνται
ἀνέρες, ἔνθα θεὰ παραγίνεται οἷς κ' ἐθέλῃσι
νίκην προφρονέως ὀπάσαι καὶ κῦδος ὀρέξαι.   433
Ἐσθλὴ δ' αὖθ' ὁπότ' ἄνδρες ἀεθλεύωσ' ἐν ἀγῶνι,   435
ἔνθα θεὰ καὶ τοῖς παραγίνεται ἠδ' ὀνίνησιν,
νικήσας δὲ βίῃ καὶ κάρτεϊ καλὸν ἄεθλον
ῥεῖα φέρει χαίρων τε, τοκεῦσι δὲ κῦδος ὀπάζει.
Ἐσθλὴ δ' ἱππήεσσι παρεστάμεν οἷς κ' ἐθέλῃσιν,
καὶ τοῖς οἳ γλαυκὴν δυσπέμφελον ἐργάζονται,   440
εὔχονται δ' Ἑκάτῃ καὶ ἐρικτύπῳ Ἐννοσιγαίῳ,
ῥηιδίως ἄγρην κυδρὴ θεὸς ὤπασε πολλήν,
ῥεῖα δ' ἀφείλετο φαινομένην, ἐθέλουσά γε θυμῷ.
Ἐσθλὴ δ' ἐν σταθμοῖσι σὺν Ἑρμῇ ληίδ' ἀέξειν,
βουκολίας [τ'] ἀγέλας τε καὶ αἰπόλια πλατέ' αἰγῶν   445

boa aos homens e aos Deuses imortais,
doce dês o começo, a mais suave no Olimpo.
Gerou Astéria de propício nome, que Perses
conduziu um dia a seu palácio e desposou,   410
e fecundada pariu Hécate a quem mais
Zeus Cronida honrou e concedeu esplêndidos dons,
ter parte na terra e no mar infecundo.
Ela também do Céu constelado partilhou a honra
e é muito honrada entre os Deuses imortais.   415
Hoje ainda, se algum homem sobre a terra
com belos sacrifícios conforme os ritos propicia
e invoca Hécate, muita honra o acompanha
facilmente, a quem a Deusa propensa acolhe a prece;
e torna-o opulento, porque ela tem força.   420
De quantos nasceram da Terra e do Céu
e receberam honra, de todos obteve um lote;
nem o Cronida violou nem a despojou
do que recebeu entre os antigos Deuses Titãs,
e ela tem como primeiro no começo houve a partilha.   425
Nem porque filha única menos partilhou de honra
e de privilégio na terra e no céu e no mar
mas ainda mais, porque honra-a Zeus.
A quem quer, grandemente dá auxílio e ajuda,   429
no tribunal senta-se junto aos reis venerandos,   434
na assembléia entre o povo distingue a quem quer,   430
e quando se armam para o combate homicida
os homens, aí a Deusa assiste a quem quer
e propícia concede vitória e oferece-lhe glória.   433
Diligente quando os homens lutam nos jogos   435
aí também a Deusa lhe dá auxílio e ajuda,
e vencendo pela força e vigor, leva belo prêmio
facilmente, com alegria, e aos pais dá a glória.
Diligente entre os cavaleiros assiste a quem quer,
e aos que lavram o mar de ínvios caminhos   440
e suplicam a Hécate e ao troante Treme-terra,
fácil a gloriosa Deusa concede muita pesca
ou surge e arranca-a, se o quer no seu ânimo.
Diligente no estábulo com Hermes aumenta
o rebanho de bois e a larga tropa de cabras   445

ποίμνας τ' εἰροπόκων ὁίων, θυμῷ γ' ἐθέλουσα,
ἐξ ὀλίγων βριάει καὶ ἐκ πολλῶν μείονα θῆκεν.
Οὕτω τοι καὶ μουνογενὴς ἐκ μητρὸς ἐοῦσα
πᾶσι μετ' ἀθανάτοισι τετίμηται γεράεσσι.
[Θῆκε δέ μιν Κρονίδης κουροτρόφον, οἳ μετ' ἐκείνην   450
ὀφθαλμοῖσιν ἴδοντο φάος πολυδερκέος Ἠοῦς.
Οὕτως ἐξ ἀρχῆς κουροτρόφος, αἵδέ τε τιμαί.]

   Ῥείη δὲ δμηθεῖσα Κρόνῳ τέκε φαίδιμα τέκνα,
Ἱστίην (καὶ) Δήμητρα καὶ Ἥρην χρυσοπέδιλον
ἴφθιμόν τ' Ἀίδην, ὃς ὑπὸ χθονὶ δώματα ναίει   455
νηλεὲς ἦτορ ἔχων, καὶ ἐρίκτυπον Ἐννοσίγαιον
Ζῆνά τε μητιόεντα, θεῶν πατέρ' ἠδὲ καὶ ἀνδρῶν,
τοῦ καὶ ὑπὸ βροντῆς πελεμίζεται εὐρεῖα χθών.
   Καὶ τοὺς μὲν κατέπινε μέγας Κρόνος, ὥς τις ἕκαστος
νηδύος ἐξ ἱερῆς μητρὸς πρὸς γούναθ' ἵκοιτο,   460
τὰ φρονέων ἵνα μή τις ἀγαυῶν Οὐρανιώνων
ἄλλος ἐν ἀθανάτοισιν ἔχοι βασιληίδα τιμήν.
Πεύθετο γὰρ Γαίης τε καὶ Οὐρανοῦ ἀστερόεντος
οὕνεκά οἱ πέπρωτο ἑῷ ὑπὸ παιδὶ δαμῆναι
καὶ κρατερῷ περ ἐόντι, Διὸς μεγάλου διὰ βουλάς.   465
Τῷ ὅ γ' ἄρ' οὐκ ἀλαοσκοπιὴν ἔχεν, ἀλλὰ δοκεύων
παῖδας ἑοὺς κατέπινε· Ῥέην δ' ἔχε πένθος ἄλαστον.
Ἀλλ' ὅτε δὴ Δί' ἔμελλε θεῶν πατέρ' ἠδὲ καὶ ἀνδρῶν
τέξεσθαι, τότ' ἔπειτα φίλους λιτάνευε τοκῆας
[τοὺς αὑτῆς, Γαῖάν τε καὶ Οὐρανὸν ἀστερόεντα,]   470
μῆτιν συμφράσσασθαι, ὅπως λελάθοιτο τεκοῦσα
παῖδα φίλον, τείσαιτο δ' Ἐρινῦς πατρὸς ἑοῖο
[παίδων οὓς κατέπινε μέγας Κρόνος ἀγκυλομήτης].
Οἳ δὲ θυγατρὶ φίλῃ μάλα μὲν κλύον ἠδ' ἐπίθοντο,
καί οἱ πεφραδέτην, ὅσα περ πέπρωτο γενέσθαι   475
ἀμφὶ Κρόνῳ βασιλῆι καὶ υἱέι καρτεροθύμῳ.
Πέμψαν δ' ἐς Λύκτον, Κρήτης ἐς πίονα δῆμον
[ὁππότ' ἄρ' ὁπλότατον παίδων ἤμελλε τεκέσθαι,
Ζῆνα μέγαν· τὸν μέν οἱ ἐδέξατο Γαῖα πελώρη
Κρήτῃ ἐν εὐρείῃ τρεφέμεν ἀτιταλλέμεναί τε].   480
Ἔνθα μιν ἷκτο φέρουσα θοὴν διὰ νύκτα μέλαιναν,

e a de ovelhas lanosas, se o quer no seu ânimo,
de poucos avoluma-os e de muitos faz menores.
Assim, apesar de ser a única filha de sua mãe,
entre imortais é honrada com todos os privilégios.
O Cronida a fez nutriz de jovens que depois dela   450
com os olhos viram a luz da multividente Aurora.
Assim dês o começo é nutriz de jovens e estas as honras.

[*O nascimento de Zeus*]

Réia submetida a Crono pariu brilhantes filhos:
Héstia, Deméter e Hera de áureas sandálias,
o forte Hades que sob o chão habita um palácio   455
com impiedoso coração, o troante Treme-terra
e o sábio Zeus, pai dos Deuses e dos homens,
sob cujo trovão até a ampla terra se abala.
E engolia-os o grande Crono tão logo cada um
do ventre sagrado da mãe descia aos joelhos,   460
tramando-o para que outro dos magníficos Uranidas
não tivesse entre os imortais a honra de rei.
Pois soube da Terra e do Céu constelado
que lhe era destino por um filho ser submetido
apesar de poderoso, por desígnios do grande Zeus.   465
E não mantinha vigilância de cego, mas à espreita
engolia os filhos. Réia agarrou-a longa aflição.
Mas quando a Zeus pai dos Deuses e dos homens
ela devia parir, suplicou então aos pais queridos,
aos seus, à Terra e ao Céu constelado,   470
comporem um ardil para que oculta parisse
o filho, e fosse punido pelas Erínias do pai
e filhos engolidos o grande Crono de curvo pensar.
Eles escutaram e atenderam à filha querida
e indicaram quanto era destino ocorrer   475
ao rei Crono e ao filho de violento ânimo.
Enviaram-na a Licto, gorda região de Creta,
quando ela devia parir o filho de ótimas armas,
o grande Zeus, e recebeu-o Terra prodigiosa
na vasta Creta para nutri-lo e criá-lo.   480
Aí levando-o através da veloz noite negra atingiu

πρώτην ἐς Λύκτον· κρύψεν δέ ἑ χερσὶ λαβοῦσα
ἄντρῳ ἐν ἠλιβάτῳ, ζαθέης ὑπὸ κεύθεσι γαίης,
Αἰγαίῳ ἐν ὄρει πεπυκασμένῳ ὑλήεντι.
Τῷ δὲ σπαργανίσασα μέγαν λίθον ἐγγυάλιξεν   485
Οὐρανίδῃ μέγ' ἄνακτι, θεῶν προτέρων βασιλῆι·
τὸν τόθ' ἑλὼν χείρεσσιν ἑὴν ἐσκάτθετο νηδύν,
σχέτλιος, οὐδ' ἐνόησε μετὰ φρεσὶν ὥς οἱ ὀπίσσω
ἀντὶ λίθου ἑὸς υἱὸς ἀνίκητος καὶ ἀκηδὴς
λείπεθ', ὅ μιν τάχ' ἔμελλε βίῃ καὶ χερσὶ δαμάσσας   490
τιμῆς ἐξελάαν, ὃ δ' ἐν ἀθανάτοισιν ἀνάξειν.
 Καρπαλίμως δ' ἄρ' ἔπειτα μένος καὶ φαίδιμα γυῖα
ηὔξετο τοῖο ἄνακτος· ἐπιπλομένου δ' ἐνιαυτοῦ
Γαίης ἐννεσίῃσι πολυφραδέεσσι δολωθεὶς
ὃν γόνον ἂψ ἀνέηκε μέγας Κρόνος ἀγκυλομήτης   495
[νικηθεὶς τέχνῃσι βίηφί τε παιδὸς ἑοῖο].
Πρῶτον δ' ἐξήμεσσε λίθον, †πύματον καταπίνων†.
Τὸν μὲν Ζεὺς στήριξε κατὰ χθονὸς εὐρυοδείης
Πυθοῖ ἐν ἠγαθέῃ γυάλοις ὑπὸ Παρνησσοῖο,
σῆμ' ἔμεν ἐξοπίσω, θαῦμα θνητοῖσι βροτοῖσιν.   500
 Λῦσε δὲ πατροκασιγνήτους ὀλοῶν ὑπὸ δεσμῶν
(Βρόντην τε Στερόπην τε καὶ Ἄργην ὀβριμόθυμον,)   501a
Οὐρανίδας, οὓς δῆσε πατὴρ ἀεσιφροσύνῃσιν·
οἵ οἱ ἀπεμνήσαντο χάριν εὐεργεσιάων,
δῶκαν δὲ βροντὴν ἠδ' αἰθαλόεντα κεραυνὸν
καὶ στεροπήν· τὸ πρὶν δὲ πελώρη Γαῖα κεκεύθει·   505
τοῖς πίσυνος θνητοῖσι καὶ ἀθανάτοισιν ἀνάσσει.

Κούρην δ' Ἰαπετὸς καλλίσφυρον Ὠκεανίνην
ἠγάγετο Κλυμένην καὶ ὁμὸν λέχος εἰσανέβαινεν.
Ἡ δέ οἱ Ἄτλαντα κρατερόφρονα γείνατο παῖδα,
τίκτε δ' ὑπερκύδαντα Μενοίτιον ἠδὲ Προμηθέα   510
ποικίλον αἰόλομητιν ἁμαρτίνοόν τ' Ἐπιμηθέα,
ὃς κακὸν ἐξ ἀρχῆς γένετ' ἀνδράσιν ἀλφηστῇσιν·
πρῶτος γάρ ῥα Διὸς πλαστὴν ὑπέδεκτο γυναῖκα
παρθένον. Ὑβριστὴν δὲ Μενοίτιον εὐρύοπα Ζεὺς
εἰς Ἔρεβος κατέπεμψε βαλὼν ψολόεντι κεραυνῷ   515
εἵνεκ' ἀτασθαλίης τε καὶ ἠνορέης ὑπερόπλου.

primeiro Licto, e com ele nas mãos escondeu-o
em gruta íngreme sob o covil da terra divina
no monte das Cabras denso de árvores.
Encueirou grande pedra e entregou-a   485
ao soberano Uranida rei dos antigos Deuses.
Tomando-a nas mãos meteu-a ventre abaixo
o coitado, nem pensou nas entranhas que deixava
em vez da pedra o seu filho invicto e seguro
ao porvir. Este com violência e mãos dominando-o   490
logo o expulsaria da honra e reinaria entre imortais.
   Rápido o vigor e os brilhantes membros
do príncipe cresciam. E com o girar do ano,
enganado por repetidas instigações da Terra,
soltou a prole o grande Crono de curvo pensar,   495
vencido pelas artes e violência do filho.
Primeiro vomitou a pedra por último engolida.
Zeus cravou-a sobre a terra de amplas vias
em Delfos divino, nos vales ao pé do Parnaso,
signo ao porvir e espanto aos perecíveis mortais.   500
   E livrou das perdidas prisões os tios paternos
Trovão, Relâmpago e Arges de violento ânimo,   501a
filhos de Céu a quem o pai em desvario prendeu;
e eles lembrados da graça benéfica
deram-lhe o trovão e o raio flamante
e o relâmpago que antes Terra prodigiosa recobria.   505
Neles confiante reina sobre mortais e imortais.

[História de Prometeu]

Jápeto desposou Clímene de belos tornozelos
virgem Oceanina e entraram no mesmo leito.
Ela gerou o filho Atlas de violento ânimo,
pariu o sobreglorioso Menécio e Prometeu   510
astuto de iriado pensar e o sem-acerto Epimeteu
que foi um mal dês o começo aos homens come-pão,
pois primeiro aceitou de Zeus moldada a mulher
virgem. Ao soberbo Menécio, Zeus longividente
lançou-o Érebos abaixo golpeando com fúmeo raio   515
por sua estultícia e bravura bem-armada.

Ἄτλας δ᾽ οὐρανὸν εὐρὺν ἔχει κρατερῆς ὑπ᾽ ἀνάγκης
πείρασιν ἐν γαίης, πρόπαρ Ἑσπερίδων λιγυφώνων
[ἑστηὼς κεφαλῇ τε καὶ ἀκαμάτῃσι χέρεσσιν]·
ταύτην γάρ οἱ μοῖραν ἐδάσσατο μητίετα Ζεύς.   520
Δῆσε δ᾽ ἀλυκτοπέδῃσι Προμηθέα ποικιλόβουλον,
δεσμοῖς ἀργαλέοισι, μέσον διὰ κίον᾽ ἐλάσσας,
καί οἱ ἐπ᾽ αἰετὸν ὦρσε τανύπτερον· αὐτὰρ ὅ γ᾽ ἧπαρ
ἤσθιεν ἀθάνατον, τὸ δ᾽ ἀέξετο ἶσον ἀπάντῃ
νυκτὸς ὅσον πρόπαν ἦμαρ ἔδοι τανυσίπτερος ὄρνις.   525
[Τὸν μὲν ἄρ᾽ Ἀλκμήνης καλλισφύρου ἄλκιμος υἱὸς
Ἡρακλέης ἔκτεινε, κακὴν δ᾽ ἀπὸ νοῦσον ἄλαλκεν
Ἰαπετιονίδῃ καὶ ἐλύσατο δυσφροσυνάων,
οὐκ ἀέκητι Ζηνὸς Ὀλυμπίου ὑψιμέδοντος,
ὄφρ᾽ Ἡρακλῆος Θηβαγενέος κλέος εἴη   530
πλεῖον ἔτ᾽ ἢ τὸ πάροιθεν ἐπὶ χθόνα πουλυβότειραν.
Ταῦτ᾽ ἄρα ἁζόμενος τίμα ἀριδείκετον υἱόν·
καί περ χωόμενος παύθη χόλου ὃν πρὶν ἔχεσκεν,
οὕνεκ᾽ ἐρίζετο βουλὰς ὑπερμενέι Κρονίωνι.]
    Καὶ γὰρ ὅτ᾽ ἐκρίνοντο θεοὶ θνητοί τ᾽ ἄνθρωποι   535
Μηκώνῃ, τότ᾽ ἔπειτα μέγαν βοῦν πρόφρονι θυμῷ
δασσάμενος προύθηκε, Διὸς νόον ἐξαπαφίσκων.
Τῷ μὲν γὰρ σάρκας τε καὶ ἔγκατα πίονα δημῷ
ἐν ῥινῷ κατέθηκε, καλύψας γαστρὶ βοείῃ·
τοῖς δ᾽ αὖτ᾽ ὀστέα λευκὰ βοὸς δολίῃ ἐπὶ τέχνῃ   540
εὐθετίσας κατέθηκε καλύψας ἀργέτι δημῷ.
Δὴ τότε μιν προσέειπε πατὴρ ἀνδρῶν τε θεῶν τε·
"Ἰαπετιονίδη, πάντων ἀριδείκετ᾽ ἀνάκτων,
ὦ πέπον, ὡς ἑτεροζήλως διεδάσσαο μοίρας."
Ὣς φάτο κερτομέων Ζεὺς ἄφθιτα μήδεα εἰδώς.   545
Τὸν δ᾽ αὖτε προσέειπε Προμηθεὺς ἀγκυλομήτης,
ἦκ᾽ ἐπιμειδήσας, δολίης δ᾽ οὐ λήθετο τέχνης·
"Ζεῦ κύδιστε μέγιστε θεῶν αἰειγενετάων,
τῶν δ᾽ ἕλευ ὁπποτέρην σε ἐνὶ φρεσὶ θυμὸς ἀνώγει."
Φῆ ῥα δολοφρονέων· Ζεὺς δ᾽ ἄφθιτα μήδεα εἰδὼς   550
γνῶ ῥ᾽ οὐδ᾽ ἠγνοίησε δόλον· κακὰ δ᾽ ὄσσετο θυμῷ
θνητοῖς ἀνθρώποισι, τὰ καὶ τελέεσθαι ἔμελλεν.
Χερσὶ δ᾽ ὅ γ᾽ ἀμφοτέρῃσιν ἀνείλετο λευκὸν ἄλειφαρ·
χώσατο δὲ φρένας ἀμφί, χόλος δέ μιν ἵκετο θυμόν,
ὡς ἴδεν ὀστέα λευκὰ βοὸς δολίῃ ἐπὶ τέχνῃ.   555

Atlas sustém o amplo céu sob cruel coerção
nos confins da Terra ante as Hespérides cantoras,
de pé, com a cabeça e infatigáveis braços:
este destino o sábio Zeus atribuiu-lhe. 520
E prendeu com infrágeis peias Prometeu astuciador,
cadeias dolorosas passadas ao meio duma coluna,
e sobre ele incitou uma águia de longas asas,
ela comia o fígado imortal, ele crescia à noite
todo igual o comera de dia a ave de longas asas. 525
O filho de Alcmena de belos tornozelos valente
Héracles matou-a, da maligna doença defendeu
o filho de Jápeto e libertou-o dos tormentos,
não discordando Zeus Olímpio o sublime soberano
para que de Héracles Tebano fosse a glória 530
maior que antes sobre a terra multinutriz.
Reverente ele honrou ao insigne filho,
apesar da cólera pôs fim ao rancor que retinha
de quem desafiou os desígnios do pujante Cronida.
Quando se discerniam Deuses e homens mortais 535
em Mecona, com ânimo atento dividindo ofertou
grande boi, a trapacear o espírito de Zeus:
aqui pôs carnes e gordas vísceras com a banha
sobre a pele e cobriu-as com o ventre do boi,
ali os alvos ossos do boi com dolosa arte 540
dispôs e cobriu-os com a brilhante banha.
Disse-lhe o pai dos homens e dos Deuses:
"Filho de Jápeto, insigne dentre todos os reis,
ó doce, dividiste as partes zeloso de um só!".
Assim falou a zombar Zeus de imperecíveis desígnios. 545
E disse-lhe Prometeu de curvo pensar
sorrindo leve, não esqueceu a dolosa arte:
"Zeus, o de maior glória e poder dos Deuses perenes,
toma qual dos dois nas entranhas te exorta o ânimo".
Falou por astúcia. Zeus de imperecíveis desígnios 550
soube, não ignorou a astúcia: nas entranhas previu
males que aos homens mortais deviam cumprir-se.
Com as duas mãos ergueu a alva gordura,
raivou nas entranhas, o rancor veio ao seu ânimo,
quando viu alvos ossos do boi sob dolosa arte. 555

Ἐκ τοῦ δ' ἀθανάτοισιν ἐπὶ χθονὶ φῦλ' ἀνθρώπων
καίουσ' ὀστέα λευκὰ θυηέντων ἐπὶ βωμῶν.
Τὸν δὲ μέγ' ὀχθήσας προσέφη νεφεληγερέτα Ζεύς·
"Ἰαπετιονίδη, πάντων πέρι μήδεα εἰδώς,
ὦ πέπον, οὐκ ἄρα πω δολίης ἐπελήθεο τέχνης." 560
Ὣς φάτο χωόμενος Ζεὺς ἄφθιτα μήδεα εἰδώς·
ἐκ τούτου δῆπειτα δόλου μεμνημένος αἰεὶ
οὐκ ἐδίδου μελίῃσι πυρὸς μένος ἀκαμάτοιο
[θνητοῖς ἀνθρώποις, οἳ ἐπὶ χθονὶ ναιετάουσιν].
Ἀλλά μιν ἐξαπάτησεν ἐὺς πάις Ἰαπετοῖο 565
κλέψας ἀκαμάτοιο πυρὸς τηλέσκοπον αὐγὴν
ἐν κοίλῳ νάρθηκι· δάκεν δ' ἄρα νειόθι θυμὸν
Ζῆν' ὑψιβρεμέτην, ἐχόλωσε δέ μιν φίλον ἦτορ,
ὡς ἴδ' ἐν ἀνθρώποισι πυρὸς τηλέσκοπον αὐγήν.
Αὐτίκα δ' ἀντὶ πυρὸς τεῦξεν κακὸν ἀνθρώποισιν· 570
γαίης γὰρ σύμπλασσε περικλυτὸς Ἀμφιγυήεις
παρθένῳ αἰδοίῃ ἴκελον Κρονίδεω διὰ βουλάς·
ζῶσε δὲ καὶ κόσμησε θεὰ γλαυκῶπις Ἀθήνη
ἀργυφέῃ ἐσθῆτι· κατὰ κρῆθεν δὲ καλύπτρην
δαιδαλέην χείρεσσι κατέσχεθε, θαῦμα ἰδέσθαι· 575
ἀμφὶ δέ οἱ στεφάνους νεοθηλέας ἄνθεσι ποίης
ἱμερτοὺς περίθηκε καρήατι Παλλὰς Ἀθήνη.
[ἀμφὶ δέ οἱ στεφάνην χρυσέην κεφαλῆφιν ἔθηκε,
τὴν αὐτὸς ποίησε, περικλυτὸς Ἀμφιγυήεις
ἀσκήσας παλάμῃσι, χαριζόμενος Διὶ πατρί· 580
τῇ δ' ἐνὶ δαίδαλα πολλὰ τετεύχατο, θαῦμα ἰδέσθαι,
κνώδαλ' ὅσ' ἤπειρος πολλὰ τρέφει ἠδὲ θάλασσα·
τῶν ὅ γε πόλλ' ἐνέθηκε — χάρις δ' ἀπελάμπετο πολλή —
θαυμάσια, ζώοισιν ἐοικότα φωνήεσσιν.]
Αὐτὰρ ἐπεὶ δὴ τεῦξε καλὸν κακὸν ἀντ' ἀγαθοῖο, 585
ἐξάγαγ' ἔνθα περ ἄλλοι ἔσαν θεοὶ ἠδ' ἄνθρωποι,
κόσμῳ ἀγαλλομένην γλαυκώπιδος ὀβριμοπάτρης.
θαῦμα δ' ἔχ' ἀθανάτους τε θεοὺς θνητούς τ' ἀνθρώπους,
ὡς εἶδον δόλον αἰπύν, ἀμήχανον ἀνθρώποισιν.
Ἐκ τῆς γὰρ γένος ἐστὶ γυναικῶν θηλυτεράων· 590
[τῆς γὰρ ὀλώιόν ἐστι γένος καὶ φῦλα γυναικῶν·]
πῆμα μέγα θνητοῖσι μετ' ἀνδράσι ναιετάουσιν,
οὐλομένης πενίης οὐ σύμφοροι, ἀλλὰ κόροιο.
Ὣς δ' ὁπότ' ἐν σμήνεσσι κατηρεφέεσσι μέλισσαι

Por isso aos imortais sobre a terra a grei humana
queima os alvos ossos em altares turiais.
E colérico disse-lhe Zeus agrega-nuvens:
"Filho de Jápeto, o mais hábil em seus desígnios,
ó doce, ainda não esqueceste a dolosa arte!".   560
Assim falou irado Zeus de imperecíveis desígnios,
depois sempre deste ardil lembrado
negou nos freixos a força do fogo infatigável
aos homens mortais que sobre a terra habitam.
Porém o enganou o bravo filho de Jápeto: 565
furtou o brilho longevisível do infatigável fogo
em oca férula; mordeu fundo o ânimo
a Zeus tonítruo e enraivou seu coração
ver entre homens o brilho longevisível do fogo.
E criou já ao invés do fogo um mal aos homens: 570
plasmou-o da terra o ínclito Pés-tortos
como virgem pudente, por desígnios do Cronida;
cingiu e adornou-a a Deusa Atena de olhos glaucos
com vestes alvas, compôs um véu laborioso
descendo-lhe da cabeça, prodígio aos olhos,   575
ao redor coroas de flores novas da relva
sedutoras lhe pôs na fronte Palas Atena
e ao redor da cabeça pôs uma coroa de ouro,
quem a fabricou: o ínclito Pés-tortos
lavrando-a nas mãos, agradando a Zeus pai,   580
e muitos lavores nela gravou, prodígio aos olhos,
das feras que a terra e o mar nutrem muitas
ele pôs muitas ali (esplendia muita a graça)
prodigiosas iguais às que vivas têm voz.
Após ter criado belo o mal em vez de um bem   585
levou-a lá onde eram outros Deuses e homens
adornada pela dos olhos glaucos e do pai forte.
O espanto reteve Deuses imortais e homens mortais
ao virem íngreme incombatível ardil aos homens.
Dela descende a geração das femininas mulheres.   590
Dela é a funesta geração e grei das mulheres,
grande pena que habita entre homens mortais,
parceiras não da penúria cruel, porém do luxo.
Tal quando na colméia recoberta abelhas

κηφῆνας βόσκουσι, κακῶν ξυνήονας ἔργων·   595
αἲ μέν τε πρόπαν ἦμαρ ἐς ἠέλιον καταδύντα
ἠμάτιαι σπεύδουσι τιθεῖσί τε κηρία λευκά,
οἳ δ' ἔντοσθε μένοντες ἐπηρεφέας κατὰ σίμβλους
ἀλλότριον κάματον σφετέρην ἐς γαστέρ' ἀμῶνται·
ὣς δ' αὔτως ἄνδρεσσι κακὸν θνητοῖσι γυναῖκας   600
Ζεὺς ὑψιβρεμέτης θῆκε, ξυνήονας ἔργων
ἀργαλέων. [ἕτερον δὲ πόρεν κακὸν ἀντ' ἀγαθοῖο·
ὅς κε γάμον φεύγων καὶ μέρμερα ἔργα γυναικῶν
μὴ γῆμαι ἐθέλῃ, ὀλοὸν δ' ἐπὶ γῆρας ἵκηται
χήτει γηροκόμοιο, ὅ γ' οὐ βιότου ἐπιδευὴς   605
ζώει, ἀποφθιμένου δὲ διὰ ζωὴν δατέονται
χηρωσταί· ᾧ δ' αὖτε γάμου μετὰ μοῖρα γένηται,
κεδνὴν δ' ἔσχεν ἄκοιτιν ἀρηρυῖαν πραπίδεσσι,
τῷ δέ τ' ἀπ' αἰῶνος κακὸν ἐσθλῷ ἀντιφερίζει
ἐμμενές· ὃς δέ κε τέτμῃ ἀταρτηροῖο γενέθλης,   610
ζώει ἐνὶ στήθεσσιν ἔχων ἀλίαστον ἀνίην
θυμῷ καὶ κραδίῃ, καὶ ἀνήκεστον κακόν ἐστιν.]
    Ὣς οὐκ ἔστι Διὸς κλέψαι νόον οὐδὲ παρελθεῖν·
οὐδὲ γὰρ Ἰαπετιονίδης ἀκάκητα Προμηθεὺς
τοῖό γ' ὑπεξήλυξε βαρὺν χόλον, ἀλλ' ὑπ' ἀνάγκης 615
καὶ πολύιδριν ἐόντα μέγας κατὰ δεσμὸς ἐρύκει.

    Βριάρεῳ δ' ὡς πρῶτα πατὴρ ὠδύσσατο θυμῷ
Κόττῳ τ' ἠδὲ Γύγῃ, δῆσε κρατερῷ ἐνὶ δεσμῷ,
ἠνορέην ὑπέροπλον ἀγώμενος ἠδὲ καὶ εἶδος
καὶ μέγεθος, κατένασσε δ' ὑπὸ χθονὸς εὐρυοδείης. 620
Ἔνθ' οἵ γ' ἄλγε' ἔχοντες ὑπὸ χθονὶ ναιετάοντες
εἵατ' ἐπ' ἐσχατιῇ μεγάλης ἐν πείρασι γαίης,
δηθὰ μάλ' ἀχνύμενοι, κραδίῃ μέγα πένθος ἔχοντες.
Ἀλλά σφεας Κρονίδης τε καὶ ἀθάνατοι θεοὶ ἄλλοι
οὓς τέκεν ἠύκομος Ῥείη Κρόνου ἐν φιλότητι   625
Γαίης φραδμοσύνῃσιν ἀνήγαγον ἐς φάος αὖτις.
Αὐτὴ γάρ σφιν ἅπαντα διηνεκέως κατέλεξε,
σὺν κείνοις νίκην τε καὶ ἀγλαὸν εὖχος ἀρέσθαι.
Δηρὸν γὰρ μάρναντο πόνον θυμαλγέ' ἔχοντες   629
ἀντίον ἀλλήλοισι διὰ κρατερὰς ὑσμίνας   631

nutrem zangões, emparelhados de malefício,   595
elas todo o dia até o mergulho do sol
diurnas fadigam-se e fazem os brancos favos,
eles ficam no abrigo do enxame à espera
e amontoam no seu ventre o esforço alheio,
assim um mal igual fez aos homens mortais   600
Zeus tonítruo: as mulheres, parelhas de obras
ásperas, e em vez de um bem deu oposto mal.
Quem fugindo a núpcias e a obrigações com mulheres
não quer casar-se, atinge a velhice funesta
sem quem o segure: não de víveres carente   605
vive, mas ao morrer dividem-lhe as posses
parentes longes. A quem vem o destino de núpcias
e cabe cuidosa esposa concorde consigo,
para este desde cedo ao bem contrapesa o mal
constante. E quem acolhe uma de raça perversa   610
vive com uma aflição sem fim nas entranhas,
no ânimo, no coração, e incurável é o mal.
    Não se pode furtar nem superar o espírito de Zeus
pois nem o filho de Jápeto o benéfico Prometeu
escapou-lhe à pesada cólera, mas sob coerção   615
apesar de multissábio a grande cadeia o retém.

[A Titanomaquia]

    Tão logo o pai lhes teve ódio no ânimo
prendeu em poderosa prisão Briareu, Coto e Giges
admirado da bem-armada bravura, aspecto
e tamanho, e meteu-os sob a terra de amplas vias. 620
Aí, doloridos sob a terra habitando
jaziam nos confins e fronteiras da grande terra
com longas angústias e grande mágoa no coração.
Mas o Cronida e os outros Deuses imortais
que Réia de belos cabelos pariu amada por Crono   625
restituíram-nos à luz por conselhos da Terra.
Ela lhes revelou clara e plenamente:
teriam com eles vitória e renome esplêndido.
Há muito combatiam com dolorosas fadigas   629
uns contra outros em violentas batalhas   631

Τιτῆνές τε θεοὶ καὶ ὅσοι Κρόνου ἐξεγένοντο,　　　630
οἳ μὲν ἀφ’ ὑψηλῆς Ὄθρυος Τιτῆνες ἀγαυοί,　　　632
οἳ δ’ ἄρ’ ἀπ’ Οὐλύμποιο θεοὶ δωτῆρες ἐάων
οὓς τέκεν ἠύκομος Ῥείη Κρόνῳ εὐνηθεῖσα.
Οἵ ῥα τότ’ ἀλλήλοισι μάχην θυμαλγέ’ ἔχοντες　　　635
συνεχέως μάρναντο δέκα πλείους ἐνιαυτούς,
οὐδέ τις ἦν ἔριδος χαλεπῆς λύσις οὐδὲ τελευτὴ
οὐδετέροις, ἶσον δὲ τέλος τέτατο πτολέμοιο.
Ἀλλ’ ὅτε δὴ κείνοισι παρέσχεθεν ἄρματα πάντα
[νέκταρ τ’ ἀμβροσίην τε, τά περ θεοὶ αὐτοὶ ἔδουσι,]　　　640
πάντων τ’ ἐν στήθεσσιν ἀέξετο θυμὸς ἀγήνωρ,
[ὡς νέκταρ τ’ ἐπάσαντο καὶ ἀμβροσίην ἐρατεινήν,]
δὴ τότε τοῖς μετέειπε πατὴρ ἀνδρῶν τε θεῶν τε·
“κέκλυτέ μευ, Γαίης τε καὶ Οὐρανοῦ ἀγλαὰ τέκνα,
ὄφρ’ εἴπω τά με θυμὸς ἐνὶ στήθεσσι κελεύει.　　　645
Ἤδη γὰρ μάλα δηρὸν ἐναντίοι ἀλλήλοισι
νίκης καὶ κάρτεος πέρι μαρνάμεθ’ ἤματα πάντα
Τιτῆνές τε θεοὶ καὶ ὅσοι Κρόνου ἐκγενόμεσθα.
Ὑμεῖς δὲ μεγάλην τε βίην καὶ χεῖρας ἀάπτους
φαίνετε Τιτήνεσσιν ἐναντίον ἐν δαῒ λυγρῇ,　　　650
μνησάμενοι φιλότητος ἐνηέος, ὅσσα παθόντες
ἐς φάος ἂψ ἵκεσθε δυσηλεγέος ὑπὸ δεσμοῦ
ἡμετέρας διὰ βουλὰς ὑπὸ ζόφου ἠερόεντος.”
Ὣς φάτο· τὸν δ’ αἶψ’ αὖτις ἀμείβετο Κόττος ἀμύμων·
“δαιμόνι’, οὐκ ἀδάητα πιφαύσκεαι· ἀλλὰ καὶ αὐτοὶ　　　655
ἴδμεν ὅ τοι περὶ μὲν πραπίδες, περὶ δ’ ἐστὶ νόημα,
ἀλκτὴρ δ’ ἀθανάτοισιν ἀρῆς γένεο κρυεροῖο·
σῇσι δ’ ἐπιφροσύνῃσιν ὑπὸ ζόφου ἠερόεντος
ἄψορρον δὴ ἐξαῦτις ἀμειλίκτων ὑπὸ δεσμῶν
ἠλύθομεν, Κρόνου υἱὲ ἄναξ, ἀνάελπτα παθόντες.　　　660
Τῷ καὶ νῦν ἀτενεῖ τε νόῳ καὶ ἐπίφρονι βουλῇ
ῥυσόμεθα κράτος ὑμὸν ἐν αἰνῇ δηιοτῆτι,
μαρνάμενοι Τιτῆσιν ἀνὰ κρατερὰς ὑσμίνας.”
Ὣς φάτ’· ἐπήνησαν δὲ θεοὶ δωτῆρες ἐάων
μῦθον ἀκούσαντες· πολέμου δ’ ἐλιλαίετο θυμὸς　　　665
μᾶλλον ἔτ’ ἢ τὸ πάροιθε· μάχην δ’ ἀμέγαρτον ἔγειραν
πάντες θήλειαί τε καὶ ἄρσενες ἤματι κείνῳ
[Τιτῆνές τε θεοὶ καὶ ὅσοι Κρόνου ἐξεγένοντο]
οὕς τε Ζεὺς Ἐρέβευσφι ὑπὸ χθονὸς ἧκε φόωσδε,

os Deuses Titãs e quantos nasceram de Crono: 630
uns no alto Ótris — os Titãs magníficos, —   632
outros no Olimpo — os Deuses doadores de bens
que Réia de belos cabelos pariu amada por Crono.
Davam uns aos outros doloroso combate   635
em batalhas contínuas há dez anos cheios.
Nenhum final nem solução da áspera discórdia
de nenhum lado, ambíguo pairava o termo da guerra.
Mas quando àqueles ofereceu todo o sustento,
néctar e ambrosia que só os Deuses comem   640
no peito de todos cresceu o ânimo viril.
Após sorverem o néctar e a amável ambrosia
disse-lhes o pai dos homens e dos Deuses:
"Ouvi-me, filhos magníficos da Terra e do Céu,
que eu diga o que no peito o ânimo me ordena: 645
já há muitos anos, uns contra os outros,
todo dia combatemos pela vitória e poder
os Deuses Titãs e quantos nascemos de Crono.
Vós com grande violência e braços intocáveis
surgi contra os Titãs na lúgubre batalha,   650
lembrai a doce lealdade e quanto sofrestes
na prisão cruel antes de voltar à luz
por nossos desígnios, de sob a treva nevoenta".
     Assim falou. Respondeu o irrepreensível Coto:
"Ó portento, não o não sabido revelas: nós   655
sabemos que tens supremo cor e supremo espírito,
e repeliste dos imortais o mal horrendo;
por tua sabedoria, de sob a treva nevoenta
das prisões sem-mel, nós já sem esperanças
de volta viemos, ó rei filho de Crono.   660
Agora com rijo espírito e prudente vontade
defenderemos vosso poder na luta terrível
combatendo os Titãs na violenta batalha".
     Assim falou. Aprovaram os Deuses doadores de bens
a palavra ouvida. Ávido de guerra o ânimo   665
ainda mais, e despertaram o triste combate
todos — Deusas e Deuses — naquele dia:
os Deuses Titãs, quantos nasceram de Crono,
os que Zeus do Érebos sob a terra lançou à luz,

δεινοί τε κρατεροί τε, βίην ὑπέροπλον ἔχοντες.   670
Τῶν ἑκατὸν μὲν χεῖρες ἀπ' ὤμων ἀΐσσοντο
πᾶσιν ὁμῶς, κεφαλαὶ δὲ ἑκάστῳ πεντήκοντα
ἐξ ὤμων ἐπέφυκον ἐπὶ στιβαροῖσι μέλεσσιν.
Οἳ τότε Τιτήνεσσι κατέσταθεν ἐν δαῒ λυγρῇ
πέτρας ἠλιβάτους στιβαραῖς ἐν χερσὶν ἔχοντες.   675
Τιτῆνες δ' ἑτέρωθεν ἐκαρτύναντο φάλαγγας
προφρονέως· χειρῶν τε βίης θ' ἅμα ἔργον ἔφαινον
ἀμφότεροι. Δεινὸν δὲ περίαχε πόντος ἀπείρων,
γῆ δὲ μέγ' ἐσμαράγησεν, ἐπέστενε δ' οὐρανὸς εὐρὺς
σειόμενος, πεδόθεν δὲ τινάσσετο μακρὸς Ὄλυμπος   680
ῥιπῇ ὕπ' ἀθανάτων, ἔνοσις δ' ἵκανε βαρεῖα
Τάρταρον ἠερόεντα ποδῶν αἰπεῖα τ' ἰωὴ
ἀσπέτου ἰωχμοῖο βολάων τε κρατεράων.
Ὣς ἄρ' ἐπ' ἀλλήλοις ἵεσαν βέλεα στονόεντα.
Φωνὴ δ' ἀμφοτέρων ἵκετ' οὐρανὸν ἀστερόεντα   685
κεκλομένων, οἳ δὲ ξύνισαν μεγάλῳ ἀλαλητῷ.
    Οὐδ' ἄρ' ἔτι Ζεὺς ἴσχεν ἑὸν μένος, ἀλλά νυ τοῦ γε
εἶθαρ μὲν μένεος πλῆντο φρένες, ἐκ δέ τε πᾶσαν
φαῖνε βίην· ἄμυδις δ' ἄρ' ἀπ' οὐρανοῦ ἠδ' ἀπ' Ὀλύμπου
ἀστράπτων ἔστειχε συνωχαδόν, οἱ δὲ κεραυνοὶ   690
ἴκταρ ἅμα βροντῇ τε καὶ ἀστεροπῇ ποτέοντο
χειρὸς ἄπο στιβαρῆς, ἱερὴν φλόγα εἰλυφόωντες
ταρφέες. Ἀμφὶ δὲ γαῖα φερέσβιος ἐσμαράγιζε
καιομένη, λάκε δ' ἀμφὶ πυρὶ μεγάλ' ἄσπετος ὕλη·
ἔζεε δὲ χθὼν πᾶσα καὶ Ὠκεανοῖο ῥέεθρα   695
πόντος τ' ἀτρύγετος· τοὺς δ' ἄμφεπε θερμὸς ἀυτμὴ
Τιτῆνας χθονίους, φλὸξ δ' ἠέρα δῖαν ἵκανεν
ἄσπετος, ὄσσε δ' ἄμερδε καὶ ἰφθίμων περ ἐόντων
αὐγὴ μαρμαίρουσα κεραυνοῦ τε στεροπῆς τε.
Καῦμα δὲ θεσπέσιον κάτεχεν Χάος· εἴσατο δ' ἄντα   700
ὀφθαλμοῖσιν ἰδεῖν ἠδ' οὔασιν ὄσσαν ἀκοῦσαι
αὔτως, ὡς ὅτε Γαῖα καὶ Οὐρανὸς εὐρὺς ὕπερθεν
πίλνατο†· τοῖος γάρ κε μέγας ὑπὸ δοῦπος ὀρώρει
τῆς μὲν ἐρειπομένης, τοῦ δ' ὑψόθεν ἐξεριπόντος
[τόσσος δοῦπος ἔγεντο θεῶν ἔριδι ξυνιόντων].   705
Σὺν δ' ἄνεμοι ἔνοσίν τε κονίην τ' ἐσφαράγιζον
βροντήν τε στεροπήν τε καὶ αἰθαλόεντα κεραυνόν,

terríveis, poderosos, com bem-armada violência.   670
Deles eram cem braços que saltavam dos ombros
de cada um, cabeças de cada um cinqüenta
brotavam dos ombros sobre grossos membros.
Eles impuseram aos Titãs lúgubre batalha
agarrando íngremes pedras com os grossos braços.   675
Os Titãs defronte fortificavam as fileiras
com ardor. Ambos os lados mostravam obras
braçais violentas. Terrível mugia o mar infinito,
retumbava forte a terra, o vasto céu gemia
sacudido, no solo estremecia o alto Olimpo   680
sob golpes dos imortais, o abalo pesado atingia
o Tártaro nevoento, e o surdo estrondo de pés
de indizíveis assaltos e ataques brutais.
E uns contra outros lançavam dardos gemidosos,
vinda de ambos atinge o céu constelado   685
a voz exortante, e batiam-se com grande grito.
    Não mais Zeus continha seu furor e deste
furor logo encheram-se suas vísceras e toda
violência ele mostrava. Do céu e do Olimpo
relampejando avançava sempre, os raios   690
com trovões e relâmpagos juntos voavam
do grosso braço, rodopiando a chama sagrada
densos. A terra nutriz retumbava ao redor
queimando-se, crepitou ao fogo vasta floresta,
fervia o chão todo e as correntes do Oceano   695
e o mar infecundo, o sopro quente atava
os Titãs terrestres, a chama atingia vasta
o ar divino, apesar de fortes cegava-os nos olhos
o brilhar fulgurante de raio e relâmpago.
O calor prodigioso traspassou o Caos. Parecia,   700
a ver-se com olhos e ouvir-se com ouvidos a voz,
quando a Terra e o Céu amplo lá em cima
tocavam-se, tão grande clangor erguia-se
dela desabada e dele desabando-se por cima,
tal o clangor dos Deuses batendo-se na luta.   705
Os ventos revolviam o tremor de terra, a poeira,
o trovão, o relâmpago e o raio flamante,

139

κῆλα Διὸς μεγάλοιο, φέρον δ' ἰαχήν τ' ἐνοπήν τε
ἐς μέσον ἀμφοτέρων· ὄτοβος δ' ἄπλητος ὀρώρει
σμερδαλέης ἔριδος. Κάρτος δ' ἀνεφαίνετο ἔργων.   710
Ἐκλίνθη δὲ μάχη· πρὶν δ' ἀλλήλοις ἐπέχοντες
ἐμμενέως ἐμάχοντο διὰ κρατερὰς ὑσμίνας.
   Οἳ δ' ἄρ' ἐνὶ πρώτοισι μάχην δριμεῖαν ἔγειραν,
Κόττος τε Βριάρεώς τε Γύγης τ' ἄατος πολέμοιο,
οἵ ῥα τριηκοσίας πέτρας στιβαρέων ἀπὸ χειρῶν   715
πέμπον ἐπασσυτέρας, κατὰ δ' ἐσκίασαν βελέεσσι
Τιτῆνας. Καὶ τοὺς μὲν ὑπὸ χθονὸς εὐρυοδείης
πέμψαν καὶ δεσμοῖσιν ἐν ἀργαλέοισιν ἔδησαν,
νικήσαντες χερσὶν ὑπερθύμους περ ἐόντας,
τόσσον ἔνερθ' ὑπὸ γῆς, ὅσον οὐρανός ἐστ' ἀπὸ γαίης· 720
[τόσσον γάρ τ' ἀπὸ γῆς ἐς Τάρταρον ἠερόεντα.]

   Ἐννέα γὰρ νύκτας τε καὶ ἤματα χάλκεος ἄκμων
οὐρανόθεν κατιὼν δεκάτῃ δ' ἐς γαῖαν ἵκοιτο·
[ἶσον δ' αὖτ' ἀπὸ γῆς ἐς Τάρταρον ἠερόεντα.]   723a
ἐννέα δ' αὖ νύκτας τε καὶ ἤματα χάλκεος ἄκμων
ἐκ γαίης κατιὼν δεκάτῃ δ' ἐς Τάρταρον ἵκοι.   725
   Τὸν πέρι χάλκεον ἕρκος ἐλήλαται· ἀμφὶ δέ μιν νὺξ
τριστοιχεὶ κέχυται περὶ δειρήν· αὐτὰρ ὕπερθεν
γῆς ῥίζαι πεφύασι καὶ ἀτρυγέτοιο θαλάσσης.
   Ἔνθα θεοὶ Τιτῆνες ὑπὸ ζόφῳ ἠερόεντι
κεκρύφαται βουλῇσι Διὸς νεφεληγερέταο   730
χώρῳ ἐν εὐρώεντι, πελώρης ἔσχατα γαίης.
Τοῖς οὐκ ἐξιτόν ἐστι. Θύρας δ' ἐπέθηκε Ποσειδέων
χαλκείας, τεῖχος δὲ περοίχεται ἀμφοτέρωθεν.
   Ἔνθα Γύγης Κόττος τ' ἠδὲ Βριάρεως μεγάθυμος
ναίουσιν, φύλακες πιστοὶ Διὸς αἰγιόχοιο.   735
   Ἔνθα δὲ γῆς δνοφερῆς καὶ Ταρτάρου ἠερόεντος
πόντου τ' ἀτρυγέτοιο καὶ οὐρανοῦ ἀστερόεντος
ἐξείης πάντων πηγαὶ καὶ πείρατ' ἔασιν,
ἀργαλέ' εὐρώεντα, τά τε στυγέουσι θεοί περ·
χάσμα μέγ', οὐδέ κε πάντα τελεσφόρον εἰς ἐνιαυτὸν   740
οὖδας ἵκοιτ', εἰ πρῶτα πυλέων ἔντοσθε γένοιτο,

dardos de Zeus grande, e levavam alarido e voz
ao meio das frentes, estrondo imenso erguia-se
da discórdia atroz. Mostrava-se o poder dos braços.   710
A batalha decai. Antes, uns contra outros
atacavam-se tenazes em violentas batalhas.
    Na frente despertaram áspero combate
Coto, Briareu e Giges insaciável de guerra.
Trezentas pedras dos grossos braços   715
lançavam seguidas e cobriram de golpes
os Titãs. E sob a terra de amplas vias
lançaram-nos e prenderam em prisões dolorosas
vencidos pelos braços apesar de soberbos,
tão longe sob a terra quanto é da terra o céu,   720
pois tanto o é da terra o Tártaro nevoento.

[Descrição do Tártaro]

    Nove noites e dias uma bigorna de bronze
cai do céu e só no décimo atinge a terra
e, caindo da terra, o Tártaro nevoento.   723a
E nove noites e dias uma bigorna de bronze
cai da terra e só no décimo atinge o Tártaro.   725
    Cerca-o um muro de bronze. A noite em torno
verte-se três vezes ao redor do gargalo. Por cima
as raízes da terra plantam-se e do mar infecundo.
    Aí os Deuses Titãs sob a treva nevoenta
estão ocultos por desígnios de Zeus agrega-nuvens,   730
região bolorenta nos confins da terra prodigiosa.
Não têm saída. Impôs-lhes Posídon portas
de bronze e lado a lado percorre a muralha.
Aí Giges, Coto e Briareu magnânimo
habitam, guardas fiéis de Zeus porta-égide.   735
    Aí, da terra trevosa e do Tártaro nevoento
e do mar infecundo e do Céu constelado,
de todos, estão contíguos as fontes e confins,
torturantes e bolorentos, odeiam-nos os Deuses.
Vasto abismo, nem ao termo de um ano   740
atingiria o solo quem por suas portas entrasse

ἀλλά κεν ἔνθα καὶ ἔνθα φέροι πρὸ θύελλα θυέλλῃ
ἀργαλέη· δεινὸν δὲ καὶ ἀθανάτοισι θεοῖσι
τοῦτο τέρας. Καὶ Νυκτὸς ἐρεμνῆς οἰκία δεινὰ
ἕστηκεν νεφέλης κεκαλυμμένα κυανέῃσιν.   745
   Τῶν πρόσθ' Ἰαπετοῖο πάις ἔχει οὐρανὸν εὐρὺν
ἑστηὼς κεφαλῇ τε καὶ ἀκαμάτῃσι χέρεσσιν
ἀστεμφέως, ὅθι Νύξ τε καὶ Ἡμέρη ἆσσον ἰοῦσαι
ἀλλήλας προσέειπον, ἀμειβόμεναι μέγαν οὐδὸν
χάλκεον· ἢ μὲν ἔσω καταβήσεται, ἢ δὲ θύραζε   750
ἔρχεται, οὐδέ ποτ' ἀμφοτέρας δόμος ἐντὸς ἐέργει,
ἀλλ' αἰεὶ ἑτέρη γε δόμων ἔκτοσθεν ἐοῦσα
γαῖαν ἐπιστρέφεται, ἢ δ' αὖ δόμου ἐντὸς ἐοῦσα
μίμνει τὴν αὐτῆς ὥρην ὁδοῦ ἔς τ' ἂν ἵκηται,
ἢ μὲν ἐπιχθονίοισι φάος πολυδερκὲς ἔχουσα,   755
ἢ δ' Ὕπνον μετὰ χερσί, κασίγνητον Θανάτοιο,
Νὺξ ὀλοή, νεφέλῃ κεκαλυμμένη ἠεροειδεῖ.
   Ἔνθα δὲ Νυκτὸς παῖδες ἐρεμνῆς οἰκί' ἔχουσιν,
Ὕπνος καὶ Θάνατος, δεινοὶ θεοί· οὐδέ ποτ' αὐτοὺς
Ἠέλιος φαέθων ἐπιδέρκεται ἀκτίνεσσιν   760
οὐρανὸν εἰςανιὼν οὐδ' οὐρανόθεν καταβαίνων.
Τῶν ἕτερος μὲν γῆν τε καὶ εὐρέα νῶτα θαλάσσης
ἥσυχος ἀνστρέφεται καὶ μείλιχος ἀνθρώποισι·
τοῦ δὲ σιδηρέη μὲν κραδίη, χάλκεον δέ οἱ ἦτορ
νηλεὲς ἐν στήθεσσιν, ἔχει δ' ὃν πρῶτα λάβῃσιν   765
ἀνθρώπων· ἐχθρὸς δὲ καὶ ἀθανάτοισι θεοῖσιν.
   Ἔνθα θεοῦ χθονίου πρόσθεν δόμοι ἠχήεντες
[ἰφθίμου τ' Ἀίδεω καὶ ἐπαινῆς Περσεφονείης]
ἑστᾶσιν, δεινὸς δὲ κύων προπάροιθε φυλάσσει,
νηλειής, τέχνην δὲ κακὴν ἔχει· ἐς μὲν ἰόντας   770
σαίνει ὁμῶς οὐρῇ τε καὶ οὔασιν ἀμφοτέροισιν,
ἐξελθεῖν δ' οὐκ αὖτις ἐᾷ πάλιν, ἀλλὰ δοκεύων
ἐσθίει ὅν κε λάβῃσι πυλέων ἔκτοσθεν ἰόντα.   773
   Ἔνθα δὲ ναιετάει στυγερὴ θεὸς ἀθανάτοισι,   775
δεινὴ Στύξ, θυγάτηρ ἀψορρόου Ὠκεανοῖο
πρεσβυτάτη· νόσφιν δὲ θεῶν κλυτὰ δώματα ναίει,
μακρῇσιν πέτρῃσι κατηρεφέ'· ἀμφὶ δὲ πάντη
κίοσιν ἀργυρέοισι πρὸς οὐρανὸν ἐστήρικται.
Παῦρα δὲ Θαύμαντος θυγάτηρ πόδας ὠκέα Ἶρις   780

mas de cá para lá o levaria tufão após tufão
torturante, terrível até para os Deuses imortais
este prodígio. A casa terrível da Noite trevosa
eleva-se aí oculta por escuras nuvens.   745
    Defronte, o filho de Jápeto sustém o Céu amplo
de pé, com a cabeça e infatigáveis braços
inabalável, onde Noite e Dia se aproximam
e saúdam-se cruzando o grande umbral
de bronze. Um desce dentro, outro vai   750
fora, nunca o palácio fecha a ambos,
mas sempre um deles está fora do palácio
e percorre a terra, o outro está dentro
e espera vir a sua hora de caminhar,
ele tem aos sobreterrâneos a luz multividente,   755
ela nos braços o Sono, irmão da Morte,
a Noite funesta oculta por nuvens cor de névoa.
    Aí os filhos da Noite sombria têm morada,
Sono e Morte, terríveis Deuses, nunca
o Sol fulgente olha-os com seus raios   760
ao subir ao céu nem ao descer o céu.
Um deles, tranqüilo e doce aos homens,
percorre a terra e o largo dorso do mar,
o outro, de coração de ferro e alma de bronze
não piedoso no peito, retém quem dos homens   765
agarra, odioso até aos Deuses imortais.
    Defronte, o palácio ecoante do Deus subterrâneo
o forte Hades e da temível Perséfone
eleva-se. Terrível cão guarda-lhe a frente
não piedoso, tem maligna arte: aos que entram   770
faz festas com o rabo e ambas as orelhas,
sair de novo não deixa: à espreita
devora quem surpreende a sair das portas.   773
    Aí habita a Deusa detestada dos imortais   775
terrível Estige, filha do Oceano refluente
a mais velha, longe dos Deuses em ilustre palácio
coberto de altas pedras, todo ao redor
com as colunas de prata se apóia no céu.
Pouco a filha de Espanto Íris de ágeis pés   780

ἀγγελίη πωλεῖται ἐπ' εὐρέα νῶτα θαλάσσης·
ὁππότ' ἔρις καὶ νεῖκος ἐν ἀθανάτοισιν ὄρηται
καί ῥ' ὅστις ψεύδηται Ὀλύμπια δώματ' ἐχόντων,
Ζεὺς δέ τε Ἶριν ἔπεμψε θεῶν μέγαν ὅρκον ἐνεῖκαι
τηλόθεν ἐν χρυσέῃ προχόῳ πολυώνυμον ὕδωρ   785
ψυχρόν, ὅ τ' ἐκ πέτρης καταλείβεται ἠλιβάτοιο
ὑψηλῆς· πολλὸν δὲ ὑπὸ χθονὸς εὐρυοδείης
ἐξ ἱεροῦ ποταμοῖο ῥέει διὰ νύκτα μέλαιναν,
Ὠκεανοῖο κέρας, δεκάτη δ' ἐπὶ μοῖρα δέδασται·
ἐννέα μὲν περὶ γῆν τε καὶ εὐρέα νῶτα θαλάσσης   790
δίνῃς ἀργυρέῃς εἱλιγμένος εἰς ἅλα πίπτει,
ἣ δὲ μί' ἐκ πέτρης προρέει, μέγα πῆμα θεοῖσιν.
Ὅς κεν τῆς ἐπίορκον ἀπολλείψας ἐπομόσσῃ
ἀθανάτων οἳ ἔχουσι κάρη νιφόεντος Ὀλύμπου,
κεῖται νήυτμος τετελεσμένον εἰς ἐνιαυτόν·   795
οὐδέ ποτ' ἀμβροσίης καὶ νέκταρος ἔρχεται ἄσσον
βρώσιος, ἀλλά τε κεῖται ἀνάπνευστος καὶ ἄναυδος
στρωτοῖς ἐν λεχέεσσι, κακὸν δ' ἐπὶ κῶμα καλύπτει.
Αὐτὰρ ἐπὴν νοῦσον τελέσει μέγαν εἰς ἐνιαυτόν,
ἄλλος δ' ἐξ ἄλλου δέχεται χαλεπώτερος ἄεθλος·   800
εἰνάετες δὲ θεῶν ἀπαμείρεται αἰὲν ἐόντων,
οὐδέ ποτ' ἐς βουλὴν ἐπιμίσγεται οὐδ' ἐπὶ δαῖτας
ἐννέα πάντ' ἔτεα· δεκάτῳ δ' ἐπιμίσγεται αὖτις
εἴρας ἐς ἀθανάτων οἳ Ὀλύμπια δώματ' ἔχουσιν.
Τοῖον ἄρ' ὅρκον ἔθεντο θεοὶ Στυγὸς ἄφθιτον ὕδωρ   805
ὠγύγιον, τό θ' ἵησι καταστυφέλου διὰ χώρου.
    [Ἔνθα δὲ γῆς δνοφερῆς καὶ Ταρτάρου ἠερόεντος
πόντου τ' ἀτρυγέτοιο καὶ οὐρανοῦ ἀστερόεντος
ἐξείης πάντων πηγαὶ καὶ πείρατ' ἔασιν,
ἀργαλέ' εὐρώεντα, τά τε στυγέουσι θεοί περ.]   810
    [Ἔνθα δὲ μαρμάρεαί τε πύλαι καὶ χάλκεος οὐδὸς
ἀστεμφής, ῥίζῃσι διηνεκέεσσιν ἀρηρώς,
αὐτοφυής· πρόσθεν δὲ θεῶν ἔκτοσθεν ἁπάντων
Τιτῆνες ναίουσι, πέρην Χάεος ζοφεροῖο.
Αὐτὰρ ἐρισμαράγοιο Διὸς κλειτοὶ ἐπίκουροι   815
δώματα ναιετάουσιν ἐπ' Ὠκεανοῖο θεμέθλοις,
Κόττος τ' ἠδὲ Γύγης· Βριάρεών γε μὲν ἠὺν ἐόντα
γαμβρὸν ἐὸν ποίησε βαρύκτυπος Ἐννοσίγαιος,
δῶκε δὲ Κυμοπόλειαν ὀπυίειν, θυγατέρα ἥν.]

aí vem mensageira sobre o largo dorso do mar:
quando briga e discórdia surgem entre imortais
e se um dos que têm o palácio Olímpio mente
Zeus faz Íris trazer o grande juramento dos Deuses
num jarro de ouro, a longe água de muitos nomes   785
fria. Ela precipita-se da íngreme pedra
alta. E abundante sob a terra de amplas vias
do rio sagrado flui pela noite negra,
braço do Oceano, décima parte ela constitui:
nove envolvem a terra e o largo dorso do mar   790
com rodopios de prata e depois caem no sal,
ela só proflui da pedra, grande pena aos Deuses.
Dos imortais que têm a cabeça nivosa do Olimpo
quem espargindo-a jura um perjúrio
jaz sem fôlego por um ano inteiro,   795
nem da ambrosia e do néctar se aproxima
para comer, jaz porém sem alento nem voz
num estendido leito e mau torpor o cobre.
Quando a doença perfaz um grande ano,
passa de uma a outra prova mais áspera: 800
nove anos afasta-se dos Deuses sempre vivos,
nem freqüenta conselho nem banquetes
nove anos a fio. No décimo freqüenta de novo
reuniões dos imortais que têm o palácio Olímpio.
Tal juramento os Deuses fizeram de Estige imperecível 805
água ogígia que brota de abrupta região.
    Aí, da terra trevosa e do Tártaro nevoento
e do mar infecundo e do céu constelado,
de todos, estão contíguos as fontes e confins,
torturantes e bolorentos, odeiam-nos os Deuses.   810
    Aí resplandentes portas e umbral de bronze
inabalável, embutidos em raízes contíguas
nascido de si mesmo. Defronte, longe dos Deuses,
os Titãs habitam além do Caos sombrio.
Os ínclitos aliados de Zeus estrondante   815
habitam um palácio no alicerce do Oceano,
Coto e Giges, a Briareu por sua bravura
o gravitroante Treme-terra fez seu genro,
deu-lhe por esposa sua filha Anda-onda.

145

[Αὐτὰρ ἐπεὶ Τιτῆνας ἀπ' οὐρανοῦ ἐξέλασε Ζεύς,   820
ὁπλότατον τέκε παῖδα Τυφωέα Γαῖα πελώρη
Ταρτάρου ἐν φιλότητι διὰ χρυσέην Ἀφροδίτην·
οὗ χεῖρες μὲν †ἔασιν ἐπ' ἰσχύι ἔργματ' ἔχουσαι,
καὶ πόδες ἀκάματοι κρατεροῦ θεοῦ· ἐκ δέ οἱ ὤμων
ἦν ἑκατὸν κεφαλαὶ ὄφιος, δεινοῖο δράκοντος,   825
γλώσσῃσι δνοφερῇσι λελιχμότες· ἐκ δέ οἱ ὄσσων
θεσπεσίῃς κεφαλῇσιν ὑπ' ὀφρύσι πῦρ ἀμάρυσσεν·
πασέων δ' ἐκ κεφαλέων πῦρ καίετο δερκομένοιο·
φωναὶ δ' ἐν πάσῃσιν ἔσαν δεινῆς κεφαλῇσι
παντοίην ὄπ' ἰεῖσαι ἀθέσφατον· ἄλλοτε μὲν γὰρ   830
φθέγγονθ' ὥς τε θεοῖσι συνιέμεν, ἄλλοτε δ' αὖτε
ταύρου ἐριβρύχεω μένος ἀσχέτου ὄσσαν ἀγαύρου,
ἄλλοτε δ' αὖτε λέοντος ἀναιδέα θυμὸν ἔχοντος,
ἄλλοτε δ' αὖ σκυλάκεσσιν ἐοικότα, θαύματ' ἀκοῦσαι,
ἄλλοτε δ' αὖ ῥοίζεσχ', ὑπὸ δ' ἤχεεν οὔρεα μακρά.   835
Καί νύ κεν ἔπλετο ἔργον ἀμήχανον ἤματι κείνῳ,
καί κεν ὅ γε θνητοῖσι καὶ ἀθανάτοισιν ἄναξεν,
εἰ μὴ ἄρ' ὀξὺ νόησε πατὴρ ἀνδρῶν τε θεῶν τε·
σκληρὸν δ' ἐβρόντησε καὶ ὄβριμον, ἀμφὶ δὲ γαῖα
σμερδαλέον κονάβησε καὶ οὐρανὸς εὐρὺς ὕπερθεν   840
πόντος τ' Ὠκεανοῦ τε ῥοαὶ καὶ Τάρταρα γαίης.
Ποσσὶ δ' ὑπ' ἀθανάτοισι μέγας πελεμίζετ' Ὄλυμπος
ὀρνυμένοιο ἄνακτος, ἐπεστενάχιζε δὲ γαῖα.
Καῦμα δ' ὑπ' ἀμφοτέρων κάτεχεν ἰοειδέα πόντον
βροντῆς τε στεροπῆς τε πυρός τ' ἀπὸ τοῖο πελώρου   845
πρηστήρων ἀνέμων τε κεραυνοῦ τε φλεγέθοντος.
Ἔζεε δὲ χθὼν πᾶσα καὶ οὐρανὸς ἠδὲ θάλασσα·
θυῖε δ' ἄρ' ἀμφ' ἀκτὰς περί τ' ἀμφί τε κύματα μακρὰ
ῥιπῇ ὑπ' ἀθανάτων, ἔνοσις δ' ἄσβεστος ὀρώρει·
τρέε δ' Ἀίδης, ἐνέροισι καταφθιμένοισιν ἀνάσσων   850
Τιτῆνές θ' ὑποταρτάριοι Κρόνον ἀμφὶς ἐόντες
ἀσβέστου κελάδοιο καὶ αἰνῆς δηιοτῆτος.
    Ζεὺς δ' ἐπεὶ οὖν κόρθυνεν ἑὸν μένος, εἵλετο δ' ὅπλα,
βροντήν τε στεροπήν τε καὶ αἰθαλόεντα κεραυνόν,
πλῆξεν ἀπ' Οὐλύμποιο ἐπάλμενος· ἀμφὶ δὲ πάσας   855
ἔπρεσε θεσπεσίας κεφαλὰς δεινοῖο πελώρου.

[*A luta contra Tifeu*]

E quando Zeus expulsou do céu os Titãs,　　　820
Terra prodigiosa pariu com ótimas armas Tifeu
amada por Tártaro graças a áurea Afrodite.
Ele tem braços dispostos a ações violentas
e infatigáveis pés de Deus poderoso. Dos ombros
cem cabeças de serpente, de víbora terrível,　　　825
expeliam línguas trevosas. Dos olhos
sob cílios nas cabeças divinas faiscava fogo
e das cabeças todas fogo queimava no olhar.
Vozes havia em todas as terríveis cabeças
a lançar vário som nefasto: ora falavam　　　830
como para Deuses entender, ora como
touro mugindo de indômito furor e possante voz,
ora como leão de ânimo impudente,
ora símil a cadelas, prodígio de ouvir-se,
ora assobiava a ecoar sob altas montanhas.　　　835
Naquele dia suas obras seriam incombatíveis
e ele sobre mortais e imortais teria reinado
se não o visse súbito o pai de homens e Deuses
e trovejou grave e duro. A terra em torno
retumbou tremenda, o céu amplo lá em cima,　　　840
o mar, as correntezas do Oceano e o Tártaro.
Sob os pés imortais estremece o alto Olimpo
com o ímpeto do rei e geme a terra.
Penetrava o mar violáceo o calor de ambos,
de trovão, relâmpago, fogo vindo do prodigioso ser,　　　845
de furacões, ventos e do raio flamante.
Fervia toda a terra, céu e mar,
saltavam em volta dos cabos altas ondas
sob golpes dos imortais, irreprimível abalo cresce,
tremem Hades lá embaixo rei dos mortos　　　850
e Titãs no Tártaro em torno de Crono
pelo irreprimível clangor e pavorosa luta.
　　　Zeus encrista seu furor, agarra as armas,
o trovão, o relâmpago e o raio flamante,
e fere-o saltando do Olimpo. Fulmina em torno　　　855
todas as cabeças divinas do terrível prodígio.

147

Αὐτὰρ ἐπεὶ δή μιν δάμασε πληγῇσιν ἱμάσσας,
ἤριπε γυιωθείς, στενάχιζε δὲ γαῖα πελώρη.
Φλὸξ δὲ κεραυνωθέντος ἀπέσσυτο τοῖο ἄνακτος
οὔρεος ἐν βήσσῃσιν ἀίδνῇς παιπαλοέσσῃς   860
πληγέντος. Πολλὴ δὲ πελώρη καίετο γαῖα
αὐτμῇ θεσπεσίῃ καὶ ἐτήκετο κασσίτερος ὣς
τέχνῃ ὑπ' αἰζηῶν ὑπό τ' εὐτρήτου χοάνοιο
θαλφθείς, ἠὲ σίδηρος, ὅ περ κρατερώτατός ἐστιν,
οὔρεος ἐν βήσσῃσι δαμαζόμενος πυρὶ κηλέῳ   865
τήκεται ἐν χθονὶ δίῃ ὑφ' Ἡφαίστου παλάμῃσιν·
ὣς ἄρα τήκετο γαῖα σέλαι πυρὸς αἰθομένοιο.
Ῥῖψε δέ μιν θυμῷ ἀκαχὼν ἐς Τάρταρον εὐρύν.

Ἐκ δὲ Τυφωέος ἔστ' ἀνέμων μένος ὑγρὸν ἀέντων,
νόσφι Νότου Βορέω τε καὶ ἀργέστεω Ζεφύροιο·   870
οἵ γε μὲν ἐκ θεόφιν γενεή, θνητοῖς μέγ' ὄνειαρ,
αἱ δ' ἄλλαι μὰψ αὖραι ἐπιπνείουσι θάλασσαν·
αἳ δή τοι πίπτουσαι ἐς ἠεροειδέα πόντον,
πῆμα μέγα θνητοῖσι, κακῇ θυίουσιν ἀέλλῃ·
ἄλλοτε δ' ἄλλῃ ἄεισι διασκιδνᾶσί τε νῆας   875
ναύτας τε φθείρουσι· κακοῦ δ' οὐ γίνεται ἀλκὴ
ἀνδράσιν οἳ κείνῃσι συνάντωνται κατὰ πόντον·
αἳ δ' αὖ καὶ κατὰ γαῖαν ἀπείριτον ἀνθεμόεσσαν
ἔργ' ἐρατὰ φθείρουσι χαμαιγενέων ἀνθρώπων,
πιμπλεῖσαι κόνιός τε καὶ ἀργαλέου κολοσυρτοῦ.]   880

Αὐτὰρ ἐπεί ῥα πόνον μάκαρες θεοὶ ἐξετέλεσσαν,
Τιτήνεσσι δὲ τιμάων κρίναντο βίηφι,
δή ῥα τότ' ὤτρυνον βασιλευέμεν ἠδὲ ἀνάσσειν
Γαίης φραδμοσύνῃσιν Ὀλύμπιον εὐρύοπα Ζῆν
ἀθανάτων· ὁ δὲ τοῖσιν ἐὺ διεδάσσατο τιμάς.   885
[Ζεὺς δὲ θεῶν βασιλεὺς πρώτην ἄλοχον θέτο Μῆτιν,
πλεῖστα θεῶν εἰδυῖαν ἰδὲ θνητῶν ἀνθρώπων.
Ἀλλ' ὅτε δή ῥ' ἤμελλε θεὰν γλαυκῶπιν Ἀθήνην
τέξεσθαι, τότ' ἔπειτα δόλῳ φρένας ἐξαπατήσας
αἱμυλίοισι λόγοισιν ἑὴν ἐσκάτθετο νηδύν,   890
Γαίης φραδμοσύνῃσι καὶ Οὐρανοῦ ἀστερόεντος.
Τὼς γάρ οἱ φρασάτην, ἵνα μὴ βασιληίδα τιμὴν

E ao dominá-lo açoitando com os golpes
mutila e abate-o, e geme a terra prodigiosa.
Do rei fulminado a chama jorra
nos vales não visíveis rugosos das montanhas,   860
golpeando. E vasta queima-se a terra prodigiosa
com bafo divino e fundia-se com o estanho
pela arte de homens em perfurado crisol
aquecido, ou o ferro que é mais possante
nos vales dominado pelo fogo ardente   865
funde-se no chão divino por obra de Hefesto,
assim fundia-se a terra ao brilhar do fogo aceso.
Com afligente ânimo atirou-o ao largo Tártaro.
      De Tifeu vem o furor dos ventos que sopram úmidos,
não Notos, Bóreas e Zéfiro clareante,   870
estes vêm de Deuses, grande valia dos mortais,
os outros sopram às cegas sobre o mar
e, ao caírem no alto-mar cor de névoa,
impetuam ruim procela, grande ruína dos mortais.
Eles sopram diversos, dispersam os navios,   875
perdem os nautas, e não têm resistência ao mal
os homens que os encontram pelo mar,
e pela terra sem-fim e florida eles perdem
os campos amáveis dos homens nascidos no chão
atulhando-os de pó e de doloroso turbilhão.   880

[*Os Deuses Olímpios*]

      Quando os venturosos completaram a fadiga
e decidiram pela força as honras dos Titãs,
por conselhos da Terra exortavam o Olímpio
longivídente Zeus a tomar o poder e ser rei
dos imortais. E bem dividiu entre eles as honras.   885
      Zeus rei dos Deuses primeiro desposou Astúcia
mais sábia que os Deuses e os homens mortais.
Mas quando ia parir a Deusa de olhos glaucos Atena,
ele enganou suas entranhas com ardil,
com palavras sedutoras, e engoliu-a ventre abaixo,   890
por conselhos da Terra e do Céu constelado.
Estes lho indicaram para que a honra de rei

ἄλλος ἔχοι Διὸς ἀντὶ θεῶν αἰειγενετάων·
ἐκ γὰρ τῆς εἵμαρτο περίφρονα τέκνα γενέσθαι,
πρώτην μὲν κούρην γλαυκώπιδα Τριτογένειαν   895
ἶσον ἔχουσαν πατρὶ μένος καὶ ἐπίφρονα βουλήν,
αὐτὰρ ἔπειτ' ἄρα παῖδα θεῶν βασιλῆα καὶ ἀνδρῶν
ἤμελλεν τέξεσθαι, ὑπέρβιον ἦτορ ἔχοντα.
Ἀλλ' ἄρα μιν Ζεὺς πρόσθεν ἑὴν ἐσκάτθετο νηδύν,
ὥς οἱ συμφράσσαιτο θεὰ ἀγαθόν τε κακόν τε.   900
Δεύτερον] ἠγάγετο λιπαρὴν Θέμιν, ἣ τέκεν Ὥρας,
Εὐνομίην τε Δίκην τε καὶ Εἰρήνην τεθαλυῖαν,
αἵ τ' ἔργ' ὠρεύουσι καταθνητοῖσι βροτοῖσι,
Μοίρας θ', ᾗς πλείστην τιμὴν πόρε μητίετα Ζεύς,
Κλωθώ τε Λάχεσίν τε καὶ Ἄτροπον, αἵ τε διδοῦσι   905
θνητοῖς ἀνθρώποισιν ἔχειν ἀγαθόν τε κακόν τε.
Τρεῖς δέ οἱ Εὐρυνόμη Χάριτας τέκε καλλιπαρήους,
Ὠκεανοῦ κούρη, πολυήρατον εἶδος ἔχουσα,
Ἀγλαΐην τε καὶ Εὐφροσύνην Θαλίην τ' ἐρατεινήν·
[τῶν καὶ ἀπὸ βλεφάρων ἔρος εἴβετο δερκομενάων   910
λυσιμελής· καλὸν δέ θ' ὑπ' ὀφρύσι δερκιόωνται.]
Αὐτὰρ ὃ Δήμητρος πολυφόρβης ἐς λέχος ἦλθεν,
ἣ τέκε Περσεφόνην λευκώλενον, ἣν Ἀιδωνεὺς
ἥρπασεν ἧς παρὰ μητρός, ἔδωκε δὲ μητίετα Ζεύς.
Μνημοσύνης δ' ἐξαῦτις ἐράσσατο καλλικόμοιο,   915
ἐξ ἧς οἱ Μοῦσαι χρυσάμπυκες ἐξεγένοντο
ἐννέα, τῇσιν ἅδον θαλίαι καὶ τέρψις ἀοιδῆς.
Λητὼ δ' Ἀπόλλωνα καὶ Ἄρτεμιν ἰοχέαιραν,
ἱμερόεντα γόνον περὶ πάντων Οὐρανιώνων,
γείνατ' ἄρ αἰγιόχοιο Διὸς φιλότητι μιγεῖσα.   920
Λοισθοτάτην δ' Ἥρην θαλερὴν ποιήσατ' ἄκοιτιν·
ἣ δ' Ἥβην καὶ Ἄρηα καὶ Εἰλείθυιαν ἔτικτε
μιχθεῖσ' ἐν φιλότητι θεῶν βασιλῆι καὶ ἀνδρῶν.
Αὐτὸς δ' ἐκ κεφαλῆς γλαυκώπιδα γείνατ' Ἀθήνην,
δεινὴν ἐγρεκύδοιμον ἀγέστρατον ἀτρυτώνην   925
πότνιαν, ᾗ κέλαδοί τε ἅδον πόλεμοί τε μάχαι τε·
Ἥρη δ' Ἥφαιστον κλυτὸν οὐ φιλότητι μιγεῖσα
γείνατο, καὶ ζαμένησε καὶ ἤρισεν ᾧ παρακοίτῃ,
ἐκ πάντων παλάμῃσι κεκασμένον Οὐρανιώνων.
[Ἐκ δ' Ἀμφιτρίτης καὶ ἐρικτύπου Ἐννοσιγαίου   930
Τρίτων εὐρυβίης γένετο μέγας, ὅς τε θαλάσσης

não tivesse em vez de Zeus outro dos Deuses perenes:
era destino que ela gerasse filhos prudentes,
primeiro a virgem de olhos glaucos Tritogênia   895
igual ao pai no furor e na prudente vontade,
e depois um filho rei dos Deuses e homens
ela devia parir dotado de soberbo coração.
Mas Zeus engoliu-a antes ventre abaixo
para que a Deusa lhe indicasse o bem e o mal.   900
    Após desposou Têmis luzente que gerou as Horas,
Eqüidade, Justiça e a Paz viçosa
que cuidam dos campos dos perecíveis mortais,
e as Partes a quem mais deu honra o sábio Zeus,
Fiandeira, Distributriz e Inflexível que atribuem   905
aos homens mortais os haveres de bem e de mal.
    Eurínome de amável beleza virgem de Oceano
terceira esposa gerou-lhe Graças de belas faces:
Esplendente, Agradábil e Festa amorosa,
de seus olhos brilhantes esparge-se o amor   910
solta-membros, belo brilha sob os cílios o olhar.
    Também foi ao leito de Deméter nutriz
que pariu Perséfone de alvos braços. Edoneu
raptou-a de sua mãe, por dádiva do sábio Zeus.
    Amou ainda Memória de belos cabelos,   915
dela nasceram as Musas de áureos bandôs,
nove, a quem aprazem festas e o prazer da canção.
    Leto gerou Apolo e Ártemis verte-flechas,
prole admirável acima de toda a raça do Céu,
gerou unida em amor a Zeus porta-égide.   920
    Por último tomou Hera por florescente esposa,
ela pariu Hebe, Ares e Ilitia
unida em amor ao rei dos Deuses e dos homens.
    Ele da própria cabeça gerou a de olhos glaucos
Atena terrível estrondante guerreira infatigável   925
soberana a quem apraz fragor, combate e batalha.
Hera por raiva e por desafio a seu esposo
não unida em amor gerou o ínclito Hefesto
nas artes brilho à parte de toda a raça do Céu.
    De Anfitrite e do troante Treme-terra   930
nasceu Tritão violento e grande que habita

πυθμέν' ἔχων παρὰ μητρὶ φίλῃ καὶ πατρὶ ἄνακτι
ναίει χρύσεα δῶ, δεινὸς θεός. Αὐτὰρ Ἄρηι
ῥινοτόρῳ Κυθέρεια Φόβον καὶ Δεῖμον ἔτικτε
δεινούς, οἵ τ' ἀνδρῶν πυκινὰς κλονέουσι φάλαγγας   935
ἐν πολέμῳ κρυόεντι σὺν Ἄρηι πτολιπόρθῳ,
Ἁρμονίην θ', ἣν Κάδμος ὑπέρθυμος θέτ' ἄκοιτιν.
    Ζηνὶ δ' ἄρ' Ἀτλαντὶς Μαίη τέκε κύδιμον Ἑρμῆν,
κήρυκ' ἀθανάτων, ἱερὸν λέχος εἰσαναβᾶσα.
    Καδμείη δ' ἄρα οἱ Σεμέλη τέκε φαίδιμον υἱὸν   940
μιχθεῖσ' ἐν φιλότητι, Διώνυσον πολυγηθέα,
ἀθάνατον θνητή· νῦν δ' ἀμφότεροι θεοί εἰσιν.
    Ἀλκμήνη δ' ἄρ' ἔτικτε βίην Ἡρακληείην
μιχθεῖσ' ἐν φιλότητι Διὸς νεφεληγερέταο.
    Ἀγλαΐην δ' Ἥφαιστος, ἀγακλυτὸς ἀμφιγυήεις,   945
ὁπλοτάτην Χαρίτων θαλερὴν ποιήσατ' ἄκοιτιν.
    Χρυσοκόμης δὲ Διώνυσος ξανθὴν Ἀριάδνην,
κούρην Μίνωος, θαλερὴν ποιήσατ' ἄκοιτιν·
τὴν δέ οἱ ἀθάνατον καὶ ἀγήρων θῆκε Κρονίων.
    Ἥβην δ' Ἀλκμήνης καλλισφύρου ἄλκιμος υἱός,   950
ἲς Ἡρακλῆος, τελέσας στονόεντας ἀέθλους,
παῖδα Διὸς μεγάλοιο καὶ Ἥρης χρυσοπεδίλου,
αἰδοίην θέτ' ἄκοιτιν ἐν Οὐλύμπῳ νιφόεντι,
ὄλβιος, ὃς μέγα ἔργον ἐν ἀθανάτοισιν ἀνύσσας
ναίει ἀπήμαντος καὶ ἀγήραος ἤματα πάντα.   955
    Ἠελίῳ δ' ἀκάμαντι τέκε κλυτὸς Ὠκεανίνη
Περσηὶς Κίρκην τε καὶ Αἰήτην βασιλῆα.
Αἰήτης δ' υἱὸς φαεσιμβρότου Ἠελίοιο
κούρην Ὠκεανοῖο τελήεντος ποταμοῖο
γῆμε θεῶν βουλῇσιν Ἰδυῖαν καλλιπάρηον.   960
Ἥ δή οἱ Μήδειαν εὔσφυρον ἐν φιλότητι
γείναθ' ὑποδμηθεῖσα διὰ χρυσέην Ἀφροδίτην.]
    [Ὑμεῖς μὲν νῦν χαίρετ', Ὀλύμπια δώματ' ἔχοντες,
νῆσοί τ' ἤπειροί τε καὶ ἁλμυρὸς ἔνδοθι πόντος.
Νῦν δὲ θεάων φῦλον ἀείσατε, ἡδυέπειαι   965
Μοῦσαι Ὀλυμπιάδες, κοῦραι Διὸς αἰγιόχοιο,
ὅσσαι δὴ θνητοῖσι παρ' ἀνδράσιν εὐνηθεῖσαι
ἀθάναται γείναντο θεοῖς ἐπιείκελα τέκνα.
    Δημήτηρ μὲν Πλοῦτον ἐγείνατο δῖα θεάων,
Ἰασίῳ ἥρωι μιγεῖσ' ἐρατῇ φιλότητι   970

no fundo do mar com sua mãe e régio pai
um palácio de ouro. E de Ares rompe-escudo
Citeréia pariu Pavor e Temor terríveis
que tumultuam os densos renques de guerreiros   935
com Ares destrói-fortes no horrendo combate
e Harmonia que o soberbo Cadmo desposou.
    Maia filha de Atlas após subir no leito sagrado
de Zeus pariu o ínclito Hermes arauto dos imortais.
    Sêmele filha de Cadmo unida a Zeus em amor   940
gerou o esplêndido filho Dioniso multialegre
imortal, ela mortal. Agora ambos são Deuses.
    Alcmena gerou a força de Héracles
unida em amor a Zeus agrega-nuvens.
    Esplendente a mais jovem Graça, Hefesto   945
o ínclito Pés-tortos desposou-a florescente.
    Dioniso de áureos cabelos à loira Ariadne
virgem de Minos tomou por esposa florescente
e imortal e sem-velhice tornou-a o Cronida.
    A Hebe, o filho de Alcmena de belos tornozelos   950
valente Héracles após cumprir gemidosas provas
no Olimpo nevado tomou por esposa veneranda,
filha de Zeus grande e Hera de áureas sandálias;
feliz ele, feita a sua grande obra, entre imortais
habita sem sofrimento e sem velhice para sempre.   955
    Do Sol incansável a ínclita Oceanina
Perseida gerou Circe e o rei Eetes.
Eetes, filho do Sol ilumina-mortais,
desposou a virgem do Oceano rio circular
Sábia de belas faces, por desígnios dos Deuses.   960
Ela pariu Medéia de belos tornozelos,
subjugada em amor graças à áurea Afrodite.
    Alegrai agora, habitantes do palácio Olímpio,
ilhas e continentes e o salgado mar no meio.
Cantai agora a grei de Deusas, vós de doce voz   965
Musas olimpíades virgens de Zeus porta-égide:
quantas deitando-se com homens mortais
imortais pariram filhos símeis aos Deuses.
    Deméter divina entre Deusas gerou Riqueza,
unida em amores ao herói Jasão sobre a terra   970

νειῷ ἐνὶ τριπόλῳ, Κρήτης ἐν πίονι δήμῳ,
ἐσθλόν, ὃς εἶσ' ἐπὶ γῆν τε καὶ εὐρέα νῶτα θαλάσσης
πᾶσαν· τῷ δὲ τυχόντι καὶ οὗ κ' ἐς χεῖρας ἵκηται,
τὸν δ' ἀφνειὸν ἔθηκε, πολὺν δέ οἱ ὤπασεν ὄλβον.
Κάδμῳ δ' Ἁρμονίη, θυγάτηρ χρυσέης Ἀφροδίτης,   975
Ἰνὼ καὶ Σεμέλην καὶ Ἀγαυὴν καλλιπάρηον
Αὐτονόην θ', ἣν γῆμεν Ἀρισταῖος βαθυχαίτης,
γείνατο καὶ Πολύδωρον εὐστεφάνῳ ἐνὶ Θήβῃ.
Κούρη δ' Ὠκεανοῦ, Χρυσάορι καρτεροθύμῳ
μιχθεῖσ' ἐν φιλότητι πολυχρύσου Ἀφροδίτης,   980
Καλλιρόη τέκε παῖδα βροτῶν κάρτιστον ἁπάντων,
Γηρυονέα, τὸν κτεῖνε βίη Ἡρακληείη
βοῶν ἕνεκ' εἰλιπόδων ἀμφιρρύτῳ εἰν Ἐρυθείῃ.
Τιθωνῷ δ' Ἠὼς τέκε Μέμνονα χαλκοκορυστήν,
Αἰθιόπων βασιλῆα, καὶ Ἠμαθίωνα ἄνακτα.   985
Αὐτάρ τοι Κεφάλῳ φιτύσατο φαίδιμον υἱόν,
ἴφθιμον Φαέθοντα, θεοῖς ἐπιείκελον ἄνδρα.
Τόν ῥα νέον τέρεν ἄνθος ἔχοντ' ἐρικυδέος ἥβης
παῖδ' ἀταλὰ φρονέοντα φιλομμειδὴς Ἀφροδίτη
ὦρτ' ἀνερειψαμένη, καί μιν ζαθέοις ἐνὶ νηοῖς   990
νηοπόλον μύχιον ποιήσατο, δαίμονα δῖον.
Κούρην δ' Αἰήταο διοτρεφέος βασιλῆος
Αἰσονίδης βουλῇσι θεῶν αἰειγενετάων
ἦγε παρ' Αἰήτεω, τελέσας στονόεντας ἀέθλους,
τοὺς πολλοὺς ἐπέτελλε μέγας βασιλεὺς ὑπερήνωρ,   995
ὑβριστὴς Πελίης καὶ ἀτάσθαλος ὀβριμοεργός.
Τοὺς τελέσας ἐς Ἰωλκὸν ἀφίκετο πολλὰ μογήσας
ὠκείης ἐπὶ νηὸς ἄγων ἑλικώπιδα κούρην
Αἰσονίδης, καί μιν θαλερὴν ποιήσατ' ἄκοιτιν.
Καί ῥ' ἥ γε δμηθεῖσ' ὑπ' Ἰήσονι, ποιμένι λαῶν,   1000
Μήδειον τέκε παῖδα, τὸν οὔρεσιν ἔτρεφε Χείρων
Φιλλυρίδης· μεγάλου δὲ Διὸς νόος ἐξετελεῖτο.
Αὐτὰρ Νηρῆος κοῦραι, ἁλίοιο γέροντος,
ἤτοι μὲν Φῶκον Ψαμάθη τέκε δῖα θεάων
Αἰακοῦ ἐν φιλότητι διὰ χρυσέην Ἀφροδίτην,   1005
Πηλέι δὲ δμηθεῖσα θεὰ Θέτις ἀργυρόπεζα
γείνατ' Ἀχιλλῆα ῥηξήνορα θυμολέοντα.
Αἰνείαν δ' ἄρ' ἔτικτεν ἐυστέφανος Κυθέρεια
Ἀγχίσῃ ἥρωι μιγεῖσ' ἐρατῇ φιλότητι

154

três vezes lavrada na gorda região de Creta.
Boa Riqueza por terra e largo dorso do mar
anda e a quem encontra e chega às mãos
ela torna próspero e dá muita opulência.
De Cadmo, Harmonia filha de áurea Afrodite 975
gerou Ino, Sêmele, Agave de belas faces,
Sagacidade esposa de Aristeu de crina profunda,
e Polidoro na bem-coroada Tebas.
Virgem de Oceano, pela multiáurea Afrodite
unida em amor a Aurigládio de violento ânimo, 980
Belaflui pariu o mais poderoso dos mortais,
Gerioneu, a quem matou a força de Héracles
pelos bois sinuosos na circunfluida Eritéia.
De Titono, Aurora pariu Ménon de brônzeo elmo
rei dos etíopes e o príncipe Emátion. 985
De Céfalo, deu à luz um esplêndido filho,
o forte Fulgêncio, homem símil aos Deuses:
na tenra flor de gloriosa juventude
a sorridente Afrodite arrebatou-o e levou-o
ainda criança e dele no sagrado templo 990
fez o guardião interior, nume divino.
Virgem do rei Eetes sustentado por Zeus,
o Esonida por desígnios dos Deuses perenes
levou-a de Eetes após cumprir gemidosas provas,
as muitas impostas pelo grande rei soberbo 995
o insolente Pélias estulto e de obras brutais.
Cumpriu-as, e chegou a Iolco após muito penar
o Esonida, levando em seu navio veloz
a virgem de olhos vivos, e desposou-a florescente.
Ela, submetida a Jasão pastor de homens, 1000
pariu Medeu, criou-o nas montanhas Quíron
Filírida, e cumpriu-se o intuito do grande Zeus.
E as virgens de Nereu, o Ancião marino:
Arenosa divina entre as deusas gerou Foco
amada por Éaco graças à áurea Afrodite; 1005
submetida a Peleu a Deusa Tétis de pés de prata
gerou Aquiles rompe-falange e de leonino ânimo.
Gerou Enéias a bem-coroada Afrodite
unida ao herói Anquises em amores

Ἴδης ἐν κορυφῇσι πολυπτύχου ἠνεμοέσσης.   1010
Κίρκη δ᾽, Ἡελίου θυγάτηρ Ὑπεριονίδαο,
γείνατ᾽ Ὀδυσσῆος ταλασίφρονος ἐν φιλότητι
Ἄγριον ἠδὲ Λατῖνον ἀμύμονά τε κρατερόν τε·
Τηλέγονον δὲ ἔτικτε διὰ χρυσέην Ἀφροδίτην.
Οἳ δή τοι μάλα τῆλε μυχῷ νήσων ἱεράων   1015
πᾶσιν Τυρσηνοῖσιν ἀγακλειτοῖσι ἄνασσον.
    Ναυσίθοον δ᾽ Ὀδυσῆι Καλυψὼ δῖα θεάων
γείνατο Ναυσίνοόν τε μιγεῖσ᾽ ἐρατῇ φιλότητι.
    Αὗται μὲν θνητοῖσι παρ᾽ ἀνδράσιν εὐνηθεῖσαι
ἀθάναται γείναντο θεοῖς ἐπιείκελα τέκνα.   1020
Νῦν δὲ γυναικῶν φῦλον ἀείσατε, ἡδυέπειαι
Μοῦσαι Ὀλυμπιάδες, κοῦραι Διὸς αἰγιόχοιο.

nos cimos do Ida enrugado e ventoso.   1010
    Circe, filha de Sol Hiperiónida,
amada por Odisseu de sofrida prudência, gerou
Ágrio, Latino irrepreensível e poderoso,
e pariu Telégono, graças à áurea Afrodite.
Bem longe, no interior de ilhas sagradas,   1015
eles reinam sobre os ínclitos tirrenos todos.
    Calipso divina entre as Deusas em amores
unida a Odisseu gerou Nausítoo e Nausínoo.
    Estas deitando-se com homens mortais
imortais pariram filhos símeis aos Deuses.   1020
Cantai agora a grei de mulheres, vós de doce voz
Musas olimpíades virgens de Zeus porta-égide.

BIBLIOGRAFIA

I

HESIOD. *Theogony*. Edited with Prolegomena and Commentary by M.L. West. Oxford: Clarendon Press, 1971

HESIODE. *Théogonie. Les travaux e les jours. Le bouclier.* Texte traduit par Paul Mazon. Paris: Les Belles Lettres, 1972.

HESIODI. *Theogonia. Opera et dies. Scutum.* Edidit Friedrich Solmsen. *Fragmenta selecta ediderunt.* R. Merkelbach et M.L. West. Oxford: Clarendon Press, 1966.

II

BENVENISTE, Émile, *Le vocabulaire des institutions indo-européennes.* 1. *Economie, parenté, societé.* 2. *Pouvoir, droit, religion.* Paris: Minuit, 1969.

CASSIRER, E. *Antropologia filosófica. Ensaio sobre o homem.* Trad. port. Vicente Félix de Queiroz. São Paulo: Mestre Jou, 1977.

_____. *Esencia y efecto del concepto de símbolo.* Trad. esp. Carlos Gerhard. México: Fondo de Cultura Económica, 1975.

_____. *Linguagem e mito.* Trad. port. J. Guinsburg e M. Schnaiderman (Trads.). São Paulo: Perspectiva, 1972.

_____. *La philosophie des formes symboliques.* 1. *La langage.* 2. *La pensée mythique.* Trad. fr. Ole Hansen (tomo I) e Jean Lacoste (tomos I e II). Paris: Minuit, 1972.

CAVALCANTE DE SOUZA, José (org.). *Os Pré-Socráticos.* São Paulo: Abril Cultural, 1973.

CORNFORD, F.M. *La filosofia no escrita.* Trad. esp. Antonio Pérez Ramos. Barcelona: Ariel, 1974.

_____. *From Religion to Philosophy.* New York: Harper & Row, 1957.

DETIENNE, Marcel. *Les Maîtres de vérité dans la Gréce archaïque.* Paris: Maspero, 1967.

DETIENNE, M., e VERNANT, J.P. *Les ruses de l'intelligence. La métis des Grecs.* Paris: Flammarion, 1974.

ELIADE, Mircea. *Le mythe de l'éternel retour. Archétypes et répétition.* Paris: Gallimard, 1969.

_____. *O sagrado e o profano.* Trad. port. Rogério Fernandes. Lisboa: Livros do Brasil, s.d.

_____. *Tratado de História das Religiões.* Trad. port. Natália Nunes e Fernando Tomaz. Lisboa: Cosmos, 1977.

FRANKEL, Hermann. *Early Greek Poetry and Philosophy*. Trad. ingl. Moses Hadas e James Willis. Oxford: Basil Blackwell, 1975.

HEIDEGGER, Martin. *Conferências e escritos filosóficos*. Trad. port. Ernildo Stein. São Paulo: Abril Cultural, 1979.

_____. *Essais et conferénces*. Trad. fr. André Préau. Paris: Gallimard, 1958.

_____. *Introdução à Metafísica*. Trad. port. Emmanuel Carneiro Leão. Rio de Janeiro: Tempo Brasileiro, 1978.

_____. *Sendas perdidas*. Trad. esp. José Rovira Armengol. Buenos Aires: Losada, 1969.

KIRK, G.S. *Los poemas de Homero*. Trad. esp. Eduardo J. Prieto. Buenos Aires: Paidós, 1968.

KIRK, G.S. e RAVEN, J.E. *Los filósofos Presocráticos*. Trad. esp. Jesús García Fernández. Madri: Gredos, 1974.

LORD, A.B. "Homer and other epic poetry", in: WACE, Alan J.B. e STUBBINGS, Frank H. (org.), *A companion to Homer*. Londres: Macmillan, 1962.

MÉAUTIS, G. "Le prologue à la Théogonie", in: *Revue des Études Grecques*, Paris: Leroux, 1973, pp. 573-83.

NOTOPOULOS, James A. "Mnemosyne in Oral Literature", in: *TAPA* n. 69 (*Transactions of the American Philological Association*, Atlanta, Georgia). 1938, pp. 465-83.

OTTO, Rudolf. *Les Sacré. L'élement non-rationell dans l'idée du divin et sa relation avec le rationnel*. Trad. fr. André Jundt. Paris: Payot, 1969.

PHILIPPSON, Paula. *Origini e forme del mito greco*. Trad. it. Angelo Brelich. Milão: Einaudi, 1949.

RAMNOUX, Clémence. *La nuit et les enfants de la nuit dans la tradition grecque*. Paris: Flammarion, 1959.

RICOUER, Paul *et alii*. *As culturas e o tempo*. Trad. port. Gentil Titton, Orlando dos Reis e Ephraim Ferreira Alves. Petrópolis: Vozes, 1975.

SNELL, Bruno. *Las fuentes del pensamiento europeo. Estudios sobre el descubrimiento de los valores espirituales de Occidente en la antigua Grecia*. Trad. esp. José Vives. Madrid: Razón y Fe, 1965.

VERNANT, J.P. *As origens do pensamento grego*. Trad. port. Isis Lana Borges. São Paulo: Difusão Européia do Livro, 1972.

_____. *Mito e pensamento entre os gregos*. Trad. port. Haiganuch Sarian. São Paulo: Difusão Européia do Livro, 1973.

_____. *Mythe et societé en Gréce ancienne*. Paris: Maspero, 1974.

VERNANT, J.P. e VIDAL-NAQUET, P. *Mito e tragédia na Grécia antiga*. Trad. port. Anna Lia A.A. Prado, Filomena Y.H. Garcia e Maria da Conceição M. Cavalcante. São Paulo: Duas Cidades, 1977.

CADASTRO
ILUMI*N*URAS

Para receber informações
sobre nossos lançamentos e
promoções envie e-mail para:

cadastro@iluminuras.com.br

A *Iluminuras* dedica suas publicações à memória de
sua sócia Beatriz Costa [1957-2020] e a de seu pai
Alcides Jorge Costa [1925-2016].